# Tschick

Ein Leseprojekt
zu dem
gleichnamigen Roman
von
Wolfgang Herrndorf

erarbeitet
von
Cornelia Witzmann

Illustrationen
von
Matthias Pflügner

**Cornelsen**

# Inhaltsverzeichnis

# Kapitel 1

1 Ich hatte nie einen Spitznamen, nicht in der Schule,
2 aber auch sonst nicht.
3 Mein Name ist Maik Klingenberg.
4 Nicht Maiki, nicht Klinge, ich werde nur Maik genannt.
5 Außer in der sechsten Klasse, da riefen mich
6 die anderen eine Zeit lang mal Psycho. Das ist auch
7 nicht der ganz große Bringer, wenn man Psycho heißt.
8 Aber es dauerte nicht lange, und dann sagten sie
9 wieder Maik.

10 Wenn man keinen Spitznamen hat, kann das
11 verschiedene Gründe haben. Entweder man ist
12 wahnsinnig langweilig und kriegt deshalb keinen,
13 oder man hat keine Freunde. Es gibt aber auch noch
14 eine dritte Möglichkeit. Es kann sein, dass man
15 langweilig ist und keine Freunde hat. Und ich fürchte,
16 das ist mein Problem. Jedenfalls seit Paul
17 von Berlin weggezogen ist. Paul war mein Freund
18 seit dem Kindergarten. Wir haben uns fast jeden Tag
19 getroffen. Dann beschloss seine Mutter, dass sie
20 lieber auf dem Land wohnen will.
21 Das war ungefähr zu der Zeit, als ich aufs Gymnasium
22 kam – und das hat alles nicht leichter gemacht.
23 Ich hab Paul danach fast gar nicht mehr gesehen.
24 Es war immer eine halbe Weltreise mit der S-Bahn
25 aus der Stadt raus und noch sechs Kilometer
26 mit dem Fahrrad.
27 Außerdem hat Paul sich verändert da draußen.
28 Seine Eltern hatten sich scheiden lassen, und er ist
29 dadurch abgedreht. Ich meine, richtig abgedreht.
30 Paul hat mir das Haus gezeigt, den Garten und
31 den Wald und einen Hochsitz im Wald. Auf dem Hochsitz
32 hat Paul oft gesessen und Tiere beobachtet.
33 Paul hat angeblich Wildschweine und Wölfe gesehen.
34 Das habe ich ihm nicht geglaubt.
35 Paul hat mich angesehen, als ob ich der Bekloppte
36 wäre. Und danach haben wir uns nicht mehr so oft
37 getroffen. Drei Jahre ist das her.
38 Paul war einmal mein bester Freund.
39 Auf dem Gymnasium habe ich dann erst mal
40 niemanden mehr kennengelernt.

41 Ich bin nicht gut im Kennenlernen. Und das war
42 auch nie das ganz große Problem für mich. Bis ich
43 in der siebten Klasse Tatjana Cosic [sprich: Kohsik]
44 bemerkte. Sie sieht super aus. Ihre Stimme ist auch
45 super. Sie ist einfach insgesamt super. Aber ich
46 kenne sie überhaupt nicht.

47 Meine Eltern waren wie immer fast nie zu Hause.
48 Meine Mutter ist Alkoholikerin. Sie trinkt Alkohol,
49 solange ich denken kann. Ich mag meine Mutter.
50 Sie ist nicht so wie andere Mütter. Sie ist zum Beispiel
51 oft witzig, das kann man ja von vielen Müttern
52 nicht gerade behaupten. Sie fuhr regelmäßig in
53 eine Entzugs-Klinik. Sie hat oft zu mir gesagt:
54 „Du kannst nicht viel von deiner Mutter lernen.
55 Aber Folgendes kannst du von deiner Mutter lernen:
56 Erstens, man kann über alles reden. Und zweitens,
57 was die Leute über einen denken, ist scheißegal."

58 Es gibt ziemlich viele Sachen, die ich nicht kann.
59 Aber wenn ich was kann, dann ist das Hochsprung.
60 Im Hochsprung und im Weitsprung bin ich fast
61 unschlagbar. Aber niemand bemerkt das, besonders
62 die Mädchen bemerken das nicht.
63 Das ist das Scheiß-Thema „Mädchen", und da gibt es
64 keinen Ausweg.
65 Dachte ich jedenfalls immer, bis ich Tschick
66 kennenlernte. Danach änderte sich einiges.
67 Und das erzähle ich jetzt.

Fortsetzung folgt

1. Im Jugendroman „Tschick" erzählt
ein 14-jähriger Junge seine Geschichte.
Was erfährst du in Kapitel 1 über ihn?
Ergänze die Sätze.
Tipp: Lies noch einmal die Seiten 3 bis 5.

> von Berlin / zu Hause / Psycho / Mädchen / Weitsprung /
> Hochsprung / Maik Klingenberg / Gymnasium / Maik

Der Junge heißt _____.

Er wurde in der sechsten Klasse eine Zeit lang

_____ genannt. Doch jetzt nennen ihn alle

wieder _____. Sein bester Freund ist

_____ weggezogen. Das war ungefähr

zu der Zeit, als Maik auf das _____

kam. Das ist drei Jahre her.

Die Eltern von Maik sind fast nie _____.

Maik ist fast unschlagbar im _____

und im _____ .

Aber das bemerkt niemand, besonders

die _____ bemerken das nicht.

2. Maik hat einiges von sich erzählt.
Wie fühlt sich Maik wohl?
Sprich mit einem Partner darüber.

3. Maik gefällt Tatjana, die in seiner Klasse ist.
   Aber er kennt sie überhaupt nicht.
   Wie könnte Maik sie besser kennenlernen?
   Schreibe zwei Vorschläge auf.

> einladen / Hilfe beim Lernen anbieten

*Maik könnte Tatjana* _____

_____

_____


4. Die Mutter von Maik ist schon seit vielen Jahren
   Alkoholikerin.
   Sprecht in der Klasse über diese Fragen:

   – Was wisst ihr über Alkohol-Sucht?
   – Was passiert in einer Entzugs-Klinik?
   – Was bedeutet die Suchterkrankung der Mutter
     für das Familienleben und besonders für Maik?

5. Maik sagt, dass seine Mutter anders ist als
   andere Mütter. Was hast du noch erfahren?
   Kreuze die richtigen Sätze an.

   ❑ Maik mag seine Mutter.
   ❑ Sie kann gut zuhören.
   ❑ Die Mutter ist oft witzig.
   ❑ Sie sagt, dass man über alles reden kann.
   ❑ Sie sagt, dass es wichtig ist, was andere Leute
     über einen denken.

# Kapitel 2

1 Ich konnte Tschick am Anfang nicht leiden.

2 Keiner konnte ihn leiden. Tschick war ein Asi,

3 und genauso sah er auch aus.

4 Unser Klassenlehrer Wagenbach schleppte ihn

5 nach den Osterferien in die Klasse. Wenn ich sage,

6 er *schleppte* ihn in die Klasse, dann meine ich das

7 auch so.

8 In der ersten Stunde nach den Ferien hatten wir

9 Geschichte. Alle saßen auf ihren Stühlen

10 wie festgetackert, weil Wagenbach so streng ist.

11 Wagenbach kam also rein in dem schlechten Anzug

12 und mit der Tasche unterm Arm wie immer.

13 Hinter ihm war ein Junge. Der Junge wirkte

14 wie kurz vor dem Koma oder so.

15 Wagenbach knallte seine Tasche aufs Pult und sagte:

16 „Wir haben hier einen neuen Mitschüler. Sein Name

17 ist Andrej [Andräi] …" Er sprach nicht weiter und

18 schaute auf einen Zettel.

19 Der Junge sah an uns vorbei ins Nichts und

20 sagte auch nichts.

21 Er kam aus Russland, wie sich später herausstellte.

22 Er war vierzehn. Er trug ein schmutziges weißes Hemd,

23 an dem ein Knopf fehlte, Zehn-Euro-Jeans und

24 braune, unförmige Schuhe. Die Schuhe sahen aus

25 wie tote Ratten.

26 Der Junge war mittelgroß. Seine Unterarme waren

27 kräftig, auf dem einen hatte er eine große Narbe.

28 Die Beine waren eher dünn, der Schädel kantig.

29 „Andrej Tsch…, Tschicha…" Wagenbach versuchte,

30 den Nachnamen von seinem Zettel abzulesen.

31 Der Russe nuschelte etwas.

32 „Bitte?", fragte Wagenbach.

33 „Tschichatschow", sagte der Russe.

34 „Schön, Tschischaroff, Andrej. Willst du uns

35 vielleicht kurz etwas über dich erzählen?"

36 „Nein. Mir egal."

37 „Na schön", sagte Wagenbach. „Dann erzähle ich

38 etwas über dich, Andrej. Andrej ist vor vier Jahren

39 mit seinem Bruder von Russland nach Deutschland

40 gekommen. Willst du es nicht doch selbst erzählen?

41 Es ist sehr ungewöhnlich."

42 „Nein, ich möchte es lieber nicht erzählen."

43 „Andrej kommt aus einer deutsch-stämmigen Familie,

44 aber seine Muttersprache ist Russisch.

45 Er besuchte zuerst eine Förderschule, dann

46 die Hauptschule, dann ein Jahr die Realschule und

47 jetzt ist er bei uns im Gymnasium – und das alles

48 in nur vier Jahren. Das finde ich ungewöhnlich.

49 Setz dich da hinten an den freien Tisch."

50 Als Tschick durch die Klasse nach hinten ging,

51 wehte ein Geruch herüber, der mich fast umhaute.

52 Tschick hatte eine Alkohol-Fahne. So roch

53 meine Mutter, wenn sie einen schlechten Tag hatte.

54 Danach wusste ich: Da passiert noch was, mit Tschick

55 wird es spannend.

56 Aber die nächsten Tage blieben ruhig, ich war enttäuscht.

57 Tschick kam immer im selben Hemd zur Schule,

58 beteiligte sich nicht am Unterricht und störte nicht.

59 Er freundete sich mit niemandem an. Er machte auch

60 keinen Versuch, sich mit jemandem anzufreunden.

61 So ungefähr einmal pro Woche roch er aber nach

62 Alkohol. Es gab auch bei uns in der Klasse Leute,

63 die schon einmal einen Vollrausch gehabt hatten.

64 Aber dass ein Schüler stinkbesoffen in die Schule kam,

65 war neu. Und natürlich gab es Gerüchte über Tschick

66 und seine Herkunft. Tschetschenien, Sibirien,

67 Moskau – alles war im Gespräch.

68 Kevin meinte, Tschick würde mit seinem Bruder

69 in einem Wohnwagen leben. Es war auch

70 die Rede von einer Vierzig-Zimmer-Villa,

71 von der Russenmafia und davon, dass sein Bruder

72 Waffenschieber sei.

73 Aber ehrlich gesagt war das alles Gerede.

74 Es kam nur deshalb zustande, weil Tschick selbst

75 mit fast niemandem sprach. Und so geriet er

76 irgendwann fast in Vergessenheit.

77 Dann bekamen wir die erste Arbeit in Mathe zurück.

78 Tschick hatte eine Sechs. Der Lehrer Strahl

79 sagte ihm, wie er sich verbessern könnte.

80 Tschick nickte.

81 Und dann passierte es.

82 Er fiel vom Stuhl, direkt vor die Füße des Lehrers.

83 Tschick lag wie tot auf dem Boden.

84 Wie sich herausstellte, hatte er den ganzen Morgen

85 nichts gegessen, aber schon Alkohol getrunken.

86 Das Verwunderliche an der Geschichte war aber nicht,

87 dass Tschick vom Stuhl stürzte oder dass er

88 eine Sechs schrieb. Das Verwunderliche war, dass er

89 drei Wochen später eine Zwei hatte. Und danach

90 wieder eine Fünf. Und dann wieder eine Zwei.

91 Strahl drehte fast durch, aber jeder Blinde konnte

92 sehen, dass die Zweien nichts damit zu tun hatten,

93 dass Tschick gelernt hatte. Es hatte einfach nur

94 damit zu tun, dass er manchmal betrunken war und

95 manchmal nicht. Er wurde ein paarmal nach Hause

96 geschickt, und es gab in der Schule auch Gespräche.

97 Sonst unternahm die Schule nicht viel, es gab

98 keine Strafe.

99 Nach einiger Zeit beruhigte sich die Lage dann.

100 Was mit Tschick los war, wusste immer noch

101 keiner. Aber er kam in den meisten Fächern

102 einigermaßen mit. Er war seltener betrunken.

Fortsetzung folgt

1. **Ein Junge kommt neu in die Klasse.**
   **Er wird „Tschick" genannt.**
   **Wie ist sein richtiger Name? Kreuze an.**

   ❑ Andreas Tschickschow
   ❑ Andrej Tschichatschow
   ❑ Anton Tschichakow

2. **Was erfährst du über Tschick?**

a) **Lies noch einmal die Seiten 9 und 10.**
   **Unterstreiche schwierige Wörter.**
   **Tipp: Schlage Wörter, die du nicht kennst,**
   **in einem Wörterbuch nach.**

b) **Beantworte die Fragen zu Tschick.**
   **Schreibe die Fragen und die Antworten**
   **in dein Heft.**
   **Schreibe vollständige Sätze.**

   – Wie alt ist Tschick?
   – Welche Kleidung und welche Schuhe trägt er?
   – Wie groß ist Tschick?
   – Wie sind seine Unterarme, die Beine und sein Schädel?
   – Von woher ist Tschick mit seinem Bruder
     nach Deutschland gekommen?
   – Welche Sprache ist seine Muttersprache?
   – Welche Schulen besuchte er nacheinander
     in Deutschland? Und auf welcher Schule ist er jetzt?

3. Tschick kommt aus Russland, aber
seine Familie ist **deutsch-stämmig**.
Hier erfährst du, was das bedeutet.

a) Lies den Satz am Faden.

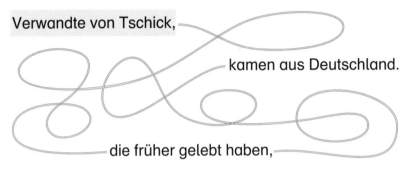

Verwandte von Tschick,

kamen aus Deutschland.

die früher gelebt haben,

b) Schreibe den Satz auf die Linien.

_____

_____

_____

4. Tschick ist mit Russisch als Muttersprache
aufgewachsen. Er lebt jetzt seit vier Jahren
in Deutschland.
Sprecht in der Klasse über diese Fragen:

— Was ist die Muttersprache eines Menschen?
— Wie ist es wohl, in einem Land zu leben,
in dem eine fremde Sprache gesprochen wird?
— Warum verlassen manche Familien ihre Heimat?
— Was ist in einem anderen Land anders?
Wenn möglich, erzählt auch von
eigenen Erfahrungen.

**5.** Maik erzählt: „Ich konnte Tschick am Anfang nicht leiden … Tschick war ein Asi, und genauso sah er auch aus."
**Warum handelt es sich bei dieser Aussage um ein Vorurteil? Ergänze die Sätze.**

---
in der Klasse verhält / unterhalten / Aussehen / nichts

---

Maik weiß in diesem Moment noch _____

von Tschick. Er beurteilt Tschick zuerst nur

nach dem _____. Maik hat sich

noch nicht mit ihm _____.

Er hat auch noch nicht erlebt, wie sich Tschick

_____.

**6.** In der Klasse gibt es Gerüchte über Tschick und seine Herkunft. Was ist ein **Gerücht**?

**a)** Die Satzteile der Antwort sind durcheinander geraten. Nummeriere sie. Berate dich mit einem Partner.

☐ ob es stimmt.

☐ Ein Gerücht ist etwas,

☐ obwohl man nicht sicher weiß,

☐ das weitererzählt wird,

**b)** Schreibe die Antwort in dein Heft.

**7.** Tschick hatte am Morgen Alkohol getrunken.
Jetzt liegt er wie tot am Boden.
Was sollte in so einer Situation getan werden?
Lies die Sätze. Vervollständige sie.

> Erste Hilfe / Notarzt

Ist eine Person bewusstlos, muss sofort

_____ geleistet werden.

Es sollte schnellstmöglich ein _____

gerufen werden. Eine betrunkene bewusstlose Person

kann eine lebensgefährliche Alkohol-Vergiftung haben.

**8.** Tschick ist 14 Jahre alt und hat ein Alkohol-Problem.

**a)** Lies den folgenden Sachtext.

### Alkohol schadet dem Gehirn

1 In großen Mengen ist Alkohol Gift für den Körper.
2 Besonders für Kinder und Jugendliche
3 ist er gefährlich, weil ihr Körper, die Organe und
4 das Gehirn noch wachsen: Trinkt ein Jugendlicher
5 zu viel Alkohol, können sich seine Organe und
6 sein Gehirn nicht voll entwickeln.
7 Darunter leiden die Merkfähigkeit und
8 die Konzentration.

**b)** Was erfährst du im Sachtext?
Unterstreiche wichtige Wörter.

# Kapitel 3

1 In den Sommerferien hatte Tatjana Geburtstag.
2 Es sollte eine Riesenparty stattfinden. Sie wollte
3 alle einladen, um in ihren vierzehnten Geburtstag
4 reinzufeiern, mit Übernachtung und so.
5 Das war natürlich ein großes Thema in der Klasse.
6 Es war der letzte Schultag, und ich war wegen
7 dieser Party aufgeregt. Es hatte noch keine Einladungen
8 gegeben. Ich jedenfalls hatte noch keine gesehen.
9 Bei Arndt entdeckte ich das grüne Kärtchen zuerst.
10 Dann sah ich, dass alle diese grünen Kärtchen hatten.
11 Fast alle. Die größten Langweiler, Asis und der Russe
12 waren nicht eingeladen. Ich hoffte bis zur letzten
13 Schulstunde noch, eine Karte zu bekommen.

14 Dann klingelte es, und alle gingen nach Hause.

15 Als ich am Ausgang ankam, schlug jemand

16 auf meine Schulter und sagte:

17 „Übertrieben geile Jacke." Es war Tschick.

18 Beim Grinsen sah man zwei große Zahnreihen.

19 Seine Augen waren noch schmaler als sonst.

20 „Kauf ich dir ab, die Jacke. Bleib mal stehen!"

21 „Lieblingsjacke", sagte ich nur. „Verkauf ich nicht."

22 Ich hatte die Jacke aus einem Second-Hand-Laden.

23 Sie sah billig aus, wie eine Jacke für Asis. Und darum

24 mochte ich sie auch so. Wenn ich sie anhatte,

25 sah man aber sofort, dass ich das genaue Gegenteil

26 eines Asis war: reich und feige.

27 „Wo gibt's denn die? Hey, halt doch mal an."

28 Tschick brüllte über den ganzen Hof und fand das wohl

29 komisch. „Bist du sitzengeblieben?", fragte er jetzt.

30 „Warum schreist du denn so?", fragte ich zurück.

31 „Bist du sitzengeblieben?"

32 „Nee."

33 „Du guckst so."

34 „Wie gucke ich?"

35 „Als ob du sitzengeblieben wärst. Hast du

36 lauter Fünfen?", fragte Tschick.

37 „Keine Ahnung."

38 „Wie, keine Ahnung?"

39 „Ich hab das Zeugnis noch nicht angesehen."

40 „Du hast noch nicht in dein Zeugnis gesehen?"

41 „Nein", sagte ich.

42 „Echt? Wie cool [kuhl] ist das denn?"

43 Tschick ging neben mir her. Zu meiner Überraschung

44 war er nicht größer als ich, nur stämmiger.

45 „Und du verkaufst die Jacke also nicht?"

46 „Nein", sagte ich.

47 „Und was machst du jetzt?"

48 „Nach Hause gehen."

49 „Und dann?"

50 „Nichts."

51 „Und dann?"

52 „Geht dich einen Scheiß an."

53 Ein paar hundert Meter ging Tschick noch

54 schweigend neben mir her, dann bog er ab.

55 Als ich zu Hause war, wusste ich nicht,

56 was ich machen sollte. Ich hörte Musik und fing an,

57 die Möbel in meinem Zimmer umzustellen.

58 Dann versuchte ich, mein Fahrrad zu reparieren.

59 Bald ging ich wieder hoch und warf mich

60 auf mein Bett. Die Ferien hatten noch nicht mal

61 richtig angefangen, und ich drehte fast schon durch.

62 Dann kam mein Vater nach Hause. „Geh und sag

63 deiner Mutter Bescheid, dass das Taxi da ist.

64 Hast du dich überhaupt schon verabschiedet?

65 Du hast nicht mal daran gedacht, oder? Los, geh!"

66 Er schubste mich die Treppe rauf.

67 Ich hatte wirklich vergessen, dass meine Mutter

68 wieder für vier Wochen in die Entzugs-Klinik musste.

69 Sie saß betrunken im Schlafzimmer vor dem Spiegel.

70 Mein Vater trug den Koffer zum Taxi.

71 Meine Mutter war kaum eine halbe Stunde weg, da

72 teilte mir mein Vater mit, dass er für vierzehn Tage

73 verreisen müsse.

74 Er sagte: „Und dass du keinen Scheiß machst.

75 Ich lass dir zweihundert Euro hier,

76 die liegen schon unten in der Küche.

77 Wenn irgendetwas ist, rufst du sofort an."

78 Als er fort war, stand ich eine Minute lang völlig still da.

79 Dann warf ich mich auf den Boden und heulte.

80 Später ging ich raus, um weiter das Fahrrad zu

81 reparieren. Ich stand in der warmen Abendluft und

82 atmete tief durch.

83 Da kam jemand mit einem quietschenden Fahrrad

84 die Straße heruntergerollt.

85 Es war Tschick. „Hey, hier wohnst du?", rief er.

86 „Und du hast Flickzeug. Wie geil, gib mal her!"

87 Ich gab es ihm und ging ins Haus.

88 Ich hörte Werkzeug klappern. Tschick sang dabei

89 auf Russisch. Er sang schlecht. Dann lief er

90 in unseren Garten zum Swimmingpool [Swimmingpuhl].

91 „Geiler Pool!", rief Tschick. Ich ging runter zu ihm.

92 Wir unterhielten uns ein bisschen.

93 Am Ende kam es, wie es kommen musste,

94 wir landeten vor der Playstation [Pläistäschen].

95 Tschick kannte das Spiel aber nicht, und wir waren

96 nicht sehr erfolgreich. Aber ich dachte: „Immer noch

97 besser, als schreiend in der Ecke zu liegen."

98 Als Tschick mit seinem Rad nach Hause fuhr, war es

99 schon fast Mitternacht. Ich stand noch eine Weile

100 allein vor unserem Haus, über mir waren die Sterne.

101 Und das war das Beste an diesem Tag:

102 Er war endlich zu Ende.

Fortsetzung folgt

1. Maik möchte gern zur Feier von Tatjana gehen.
   Fast alle in der Klasse haben eine Einladung.
   Maik ist noch nicht eingeladen.

a) Lies noch einmal Seite 16.

b) Was denkt Maik wohl?
   Schreibe in die Denkblase.
   Tipp: Die Wörter und Wortgruppen im Kasten
   helfen dir.

> Warum … / Bestimmt hält sie mich für einen … /
> Hoffentlich …

_____

_____

_____

_____

_____

_____

_____

2. Am Ausgang der Schule spricht jemand Maik an.
   Wer spricht ihn an? Kreuze an.
   Tipp: Lies noch einmal Seite 17.

   ❑ Tatjana      ❑ Herr Wagenbach      ❑ Tschick

**3. Tschick gefällt die Jacke, die Maik trägt.**
**Was sagt Tschick zu Maik?**

**a) Lies, was in den Sprechblasen steht.**

**b) Streiche die falsche Sprechblase durch.**
**Zeichne den Rand der richtigen Sprechblase nach.**
**Tipp: Lies noch einmal Seite 17.**

Übertrieben geile Jacke.
Kauf ich dir ab, die Jacke.
Bleib mal stehen!

Du hast eine sehr schöne Jacke.
So eine Jacke hätte ich auch gern.
Warte doch mal, ich komme mit dir!

**4. Maik will Tschick die Jacke nicht verkaufen,**
**weil es seine Lieblingsjacke ist.**
**Was erfährst du noch über die Jacke?**
**Ergänze die richtigen Wörter.**

Maik hat die Jacke aus einem

_____.
Second-Hand-Laden / Kaufhaus

Er mag die Jacke, weil sie _____ aussieht.
teuer / billig

5. **Maik trägt eine billige Jacke.**
   **Was möchte er damit wohl zeigen?**
   **Schreibe auf die Linien.**
   **Berate dich mit einem Partner.**
   **Tipp: Die Wortgruppen im Kasten helfen dir.**

   > kein Langweiler ist / Geld ihm nicht wichtig ist /
   > anders ist

   *Er möchte mit der Jacke vielleicht zeigen, dass*

   _____

   *Vielleicht will er auch zeigen, dass*

   _____

6. **Möchtest du mit deiner Kleidung auch etwas zeigen?**
   **Warum / warum nicht?**
   **Sprich mit einem Partner darüber.**

7. **Maik dreht zu Hause fast durch.**
   **Was ist mit ihm wohl los? Ergänze die Sätze.**
   **Tipp: Du kannst die Wörter und die Wortgruppe**
   **aus dem Kasten nutzen oder eigene Wörter ergänzen.**

   > nicht / Liebeskummer / die ganze Zeit

   Wahrscheinlich hat Maik _____.

   Er muss sicher _____ daran denken,

   dass Tatjana ihn _____ eingeladen hat.

8. Die Sommerferien beginnen am nächsten Tag.
   Sind die Sätze richtig oder falsch? Kreuze an.
   Tipp: Lies noch einmal die Seiten 18 und 19.

|  | richtig | falsch |
| --- | --- | --- |
| Die Mutter fährt für vier Wochen in eine Entzugs-Klinik. | ❏ | ❏ |
| Der Vater fährt mit Maik in den Urlaub. | ❏ | ❏ |
| Der Vater lässt Maik Geld da. | ❏ | ❏ |
| Tatjana ruft Maik an. | ❏ | ❏ |
| Maik und Tschick spielen Playstation. | ❏ | ❏ |

9. Tatjana hat Maik nicht eingeladen,
   die Mutter muss in eine Klinik,
   der Vater verreist ohne Maik.
   Wie fühlt sich Maik jetzt wohl?
   Unterstreiche passende Adjektive.

*geliebt*          einsam          **traurig**          glücklich

**ungeliebt**      *entspannt*      **enttäuscht**       wütend

10. Im Kapitel 3 kommt dieses Fremdwort vor:
    **Swimmingpool.**
    Übersetze es.

    *to swim* (engl.) = schwimmen, *pool* (engl.) = das Becken

    **der Swimmingpool =**
    das S c h _ _ _ _ _ _ _ _ _ _

# Kapitel 4

1 **A**m nächsten Morgen wachte ich so früh auf wie
2 an einem Schultag. Das ließ sich nicht abstellen.
3 Aber die Stille im Haus machte mir gleich klar:
4 Ich bin allein, und es sind Sommerferien.
5 Ich kann machen, was ich will. Ich schleppte
6 als Erstes meine CDs runter und drehte die Anlage
7 im Wohnzimmer voll auf.

8 Dann öffnete ich die Terrassen-Tür und legte mich

9 mit drei Tüten Chips und Cola und

10 meinem Lieblingsbuch an den Pool.

11 Heute war Tatjanas Party. Ich versuchte, den ganzen

12 Scheiß zu vergessen.

13 Ich hatte Tatjana ein Bild von Beyoncé [Bijonsä]

14 gezeichnet. Die Sängerin fand sie toll.

15 Da ich keine Einladung bekommen hatte,

16 zerriss ich die Zeichnung.

17 Dann fiel mir ein, dass der Rasen Wasser brauchte.

18 Barfuß, mit hochgekrempelter Hose und

19 Sonnenbrille im Haar, wässerte ich also den Rasen.

20 Es war halb neun, als ein klappriges Auto

21 die Straße heruntergefahren kam.

22 Es fuhr langsam auf unser Haus zu und bog

23 in die Auffahrt ein. Es war ein Lada Niva.

24 Mit laufendem Motor stand das hellblaue Auto

25 vor unserem Haus, dann wurde der Motor abgestellt.

26 Die Fahrertür ging auf, Tschick stieg aus.

27 Er legte beide Ellenbogen aufs Dach

28 und fragte: „Macht das Spaß?" Er grinste breit und sagte:

29 „Steig ein, Mann. Ich fahr dich rum."

30 Ich setzte mich halb auf den Beifahrer-Sitz.

31 Unter dem Lenkrad hingen Kabel raus,

32 ein Schrauben-Zieher steckte unter

33 dem Armaturen-Brett.

34 „Bist du nicht ganz dicht?", fragte ich.

35 „Ist nur geliehen, nicht geklaut", sagte Tschick.

36 „Stell ich nachher wieder hin. Merkt der Besitzer sicher

37 gar nicht", sagte er noch.

38 Dann löste er die Handbremse. Ich weiß nicht,

39 warum ich nicht ausstieg. Ich bin ja sonst

40 eher feige. Tschick trat mit dem linken Fuß auf

41 das Pedal ganz links, und der Lada rollte lautlos

42 rückwärts auf die Straße. Er griff in den Kabelsalat

43 und der Motor startete. Ich schloss die Augen.

44 Als ich sie wieder öffnete, bogen wir

45 in die Rosenstraße ein.

46 „Im Ernst, fahr ich nicht gut?", fragte Tschick.

47 „Ganz toll", sagte ich genervt.

48 „Warum so eine Scheißlaune?", fragte er.

49 „Weil heute der Tag ist, Mann."

50 „Was für ein Tag?"

51 „Die Party, du Penner. Tatjanas Party."

52 Ich erzählte ihm von dem Bild.

53 „Im Ernst, du musst was machen. Wenn du nichts machst,

54 wirst du verrückt. Lass uns da vorbeifahren.

55 Du ziehst deine geile Jacke an, und wir bringen ihr

56 die Zeichnung", sagte Tschick.

57 „*Never* [englisch: näwwer]."

58 Ich wollte auf keinen Fall da hin.

59 Aber dann klebte ich die Zeichnung für Tatjana

60 doch wieder zusammen.

61 Das Haus war nicht schwer zu finden.

62 Einige Leute standen davor.

63 Bekannte und unbekannte Gesichter und

64 wie eine Sonne mittendrin Tatjana.

65 Sie begrüßte gerade einen Klassenkameraden.

66 Tschick war schon ausgestiegen und stand direkt

67 vor ihnen.

68 Verlegen stieg ich aus. Ich weiß nicht, ob Verliebtsein

69 immer so peinlich ist, aber ich habe dafür

70 kein großes Talent.

71 Tatjana sah Tschick und mich irritiert an.

72 Ich sagte: „Hier." Ich sagte: „Beyoncé."

73 Ich sagte: „Eine Zeichnung." Und ich sagte: „Für dich."

74 Tatjana starrte die Zeichnung an.

75 Ich hörte wie Tschick zu dem Klassenkameraden sagte:

76 „Nee, keine Zeit. Wir haben noch etwas zu erledigen."

77 Er stieß mich an, ging zum Auto zurück, ich hinterher.

78 Er startete den Motor und brauste los.

79 Ich machte Fäuste.

80 Wir schossen die Straße runter, die eine Sackgasse war.

81 „Soll ich's ihnen noch zeigen?", fragte Tschick.

82 Ich antwortete nicht. Ich konnte nicht.

83 „Soll ich's ihnen noch zeigen?", fragte er wieder.

84 „Mach, was du willst!", schrie ich. Ich war so erleichtert.

85 Tschick raste auf das Ende der Sackgasse zu.

86 Er riss das Steuer kurz nach rechts und dann

87 nach links, zog an der Handbremse und wendete

88 mitten auf der Straße.

89 Ich flog fast aus dem Fenster.

90 Tschick beschleunigte am Haus vorbei.

91 Aus den Augenwinkeln sah ich, wie sie da immer noch

92 auf dem Bürgersteig standen.

93 Die Zeit schien stehengeblieben zu sein.

94 Vor dem Haus stand Tatjana mit der Zeichnung.

95 „Gib Gas!", rief ich.

Fortsetzung folgt

1. Maik hat ein Geburtstagsgeschenk für Tatjana.
   Was ist es?
   Was macht Maik mit dem Geschenk?
   Und warum tut er das?
   Schreibe vollständige Sätze auf die Linien.
   Tipp: Lies noch einmal Seite 25.

   *Maik hat für Tatjana ein* _____ .

   *Er* _____

   _____ .

2. Tschick kommt mit einem klapprigen Auto,
   einem **Lada Niva**, angefahren.

a) Lies den folgenden Sachtext.

   **Lada Niva**

   1 Lada Niva ist ein **Marken-Name**
   2 für einen einfachen **Geländewagen,** der schon
   3 seit **vierzig Jahren** gebaut wird.
   4 Ein **russischer Auto-Hersteller**
   5 baut die Autos.

b) Was erfährst du im Sachtext?
   Beantworte die Fragen mit Stichworten.

   – Was für ein Wagen ist der Lada Niva?

   _____

   – Seit wann wird er gebaut?

   _____

3. Tschick startet das Auto mit Hilfe von Kabeln.
   Das nennt man auch: **Er schließt das Auto kurz.**
   Warum startet er den Wagen so?
   Kreuze an, was du vermutest.

   ❑ Vermutlich hat er den Wagen gestohlen.
   ❑ Er hat den Zündschlüssel wahrscheinlich verloren.

4. Tschick darf mit 14 und ohne Führerschein
   kein Auto fahren. Das ist gesetzlich verboten.
   Wer darf ein Auto, einen Personen-Kraftwagen (Pkw),
   fahren?

a) Lies den folgenden Sachtext.

   **Auto fahren**

   1 Jugendliche **ab 18 Jahren,** die erfolgreich
   2 die **Führerschein-Prüfung** abgeschlossen und
   3 den **Pkw-Führerschein** erhalten haben,
   4 dürfen Auto fahren.
   5 Jugendliche mit Pkw-Führerschein dürfen
   6 auch schon **ab 17 Jahren** Auto fahren,
   7 wenn sie eine **Begleit-Person** dabei haben, die
   8 **mindestens 30 Jahre** alt ist und
   9 seit **5 Jahren den Führerschein** besitzt.

b) Was erfährst du im Sachtext?
   Schreibe die Fragen und die Antworten in dein Heft.

   — Ab wann dürfen Jugendliche Auto fahren?
   — Unter welchen Voraussetzungen darf man
     ab 17 Auto fahren?

<br>

5. Maik hat Tatjana die Zeichnung geschenkt.
   Danach fahren Tschick und Maik fort.
   Tatjana und einige ihrer Gäste sehen zu.

a) Lies noch einmal auf Seite 27,
   wie Tschick und Maik abfahren.

b) Was denken Tatjana und ihre Gäste wohl?
   Schreibe in die Denkblasen.
   Tipp: Die Wörter im Kasten helfen dir.

> cool / Angeber / gefährlich / Führerschein / Polizei

# Kapitel 5

1 Tschick und ich spielten Playstation bei mir
2 zu Hause.
3 „Und wenn wir wegfahren?", fragte Tschick auf einmal.
4 „Lass uns Urlaub machen, wie normale Leute."
5 „Wovon redest du?", fragte ich.
6 „Wir nehmen den Lada und fahren los."
7 „Wenn wir das machen, wo willst du dann hin?",
8 fragte ich.
9 „Ist doch egal."
10 „Wenn man wegfährt, wär es irgendwie gut,
11 wenn man weiß, wohin", sagte ich.

12 „Wir könnten meine Verwandtschaft besuchen.
13 Ich habe einen Großvater in der Walachei."
14 „Und wo wohnt der?"
15 „Wie, wo wohnt der? Der wohnt in der Walachei."
16 „Also irgendwo weit weg."
17 „Nein, in der Walachei."
18 „Das ist doch dasselbe. ‚Walachei' bedeutet
19 irgendein Ort weit weg oder so."
20 „Ein Teil meiner Familie kommt von da.
21 Die Walachei ist ein Gebiet in Rumänien."
22 Als Tschick gegangen war, fing ich an,
23 mir über die Reise wirklich Gedanken zu machen.

24 Es war vier Uhr in der Nacht auf Sonntag.
25 Tschick knackte den Lada, den er nach der letzten Fahrt
26 wieder abgestellt hatte. Zehn Minuten später luden wir
27 Schlafsäcke, Luftmatratzen, Brot, Brotaufstrich,
28 einen Kasten Wasser, Teller, Messer und Löffel
29 in den Lada. Die zweihundert Euro nahm ich auch mit.
30 Dann ging es los.
31 Mein Arm hing aus dem Fenster. Mein Kopf lag
32 auf dem Arm. Wir waren auf direktem Weg aus
33 Berlin rausgefahren. Jetzt fuhren wir zwischen Wiesen
34 und Feldern hindurch, über denen langsam die Sonne
35 aufging. Es war das Schönste und Seltsamste, was
36 ich je erlebt hatte. Aber wie sollten wir es
37 ohne Landkarte bis in die Walachei schaffen?
38 Wir fuhren deshalb erst mal in Richtung Süden.
39 Die Walachei liegt ja in Rumänien, und Rumänien
40 ist im Süden. Das nächste Problem aber war,
41 dass wir nicht wussten, wo Süden ist.

42 Tatsächlich schafften wir es irgendwie auf
43 den Autobahn-Zubringer. Links neben uns fuhr
44 auf einmal ein Mann in einem schwarzen Mercedes.
45 Er sagte uns mit Handzeichen, dass er
46 unser Kennzeichen aufgeschrieben hatte.
47 Mir ging wahnsinnig die Muffe,
48 aber Tschick zuckte nur mit den Schultern.
49 Tatsächlich sah Tschick ein bisschen älter aus
50 als vierzehn, aber keinesfalls wie achtzehn.
51 Als Dresden ausgeschildert war, fuhren wir
52 in diese Richtung, denn Dresden lag im Süden.
53 Wir nahmen kleine Straßen mit weniger Verkehr.
54 Schließlich landeten wir auf einer Sandpiste.
55 Es war früher Nachmittag. Jetzt machten wir
56 erst einmal ein Picknick im Auto. Es hatte nämlich
57 zu regnen begonnen, nein, zu gewittern. Es war
58 unmöglich, weiterzufahren. Deshalb schliefen wir
59 diese Nacht im Auto.

60 Ich erwachte mit dem ersten Lichtstrahl und weckte
61 Tschick, weil ein Bauer den Weg entlangkam.
62 Wir fuhren zurück auf die Straße und frühstückten dabei
63 Brot mit Aufstrich.
64 Dann brachte Tschick mir auf einer Wiese
65 das Autofahren bei. Ich übte ein paar Stunden,
66 glücklicherweise war die Wiese sehr groß.
67 Nachdem ich fahren konnte, ließ ich mir von Tschick
68 zeigen, wie ich den Wagen kurzschließen konnte.
69 Wir fuhren in ein kleines Dorf und parkten hinter
70 einem Gebüsch. In einer Bäckerei holten wir uns
71 Brötchen. Als ich in mein Brötchen beißen wollte,

72 sagte jemand hinter mir: „Klingenberg, was
73 machst du denn hier?"
74 Lutz Heckel, die Tonne auf Stelzen aus
75 unserer Klasse, saß an einem Tisch hinter uns.
76 „Und der Russe ist auch da", sagte Heckel überrascht.
77 Es klang abfällig.
78 „Verwandtenbesuch", sagte ich und schaute fragend.
79 „Fahrradtour", sagte Heckel. Sein Vater schenkte uns
80 noch ein paar Brötchen. Die beiden verschwanden.
81 „Uh", sagte Tschick, und ich sagte nichts.
82 Wir blieben lange vor der Bäckerei sitzen.
83 Auf einmal sahen wir zwei Polizisten, die
84 die Nummernschilder der Autos kontrollierten.
85 Unauffällig schlenderten wir zum Lada zurück
86 und fuhren aus dem Dorf hinaus.
87 Wir wussten sofort, was zu tun war.
88 Auf einem Parkplatz am Waldrand schraubten wir
89 von einem Auto die Nummernschilder ab und
90 tauschten sie mit unseren. Dann fuhren wir
91 durch den Wald einen Berg hinauf.

92 Am Abend lagen wir auf dem Rücken auf einer Wiese
93 und schauten in den Nachthimmel.
94 Wir hatten den ganzen Berg für uns. Über uns waren
95 unendlich viele Sterne. Ich war über die Weite
96 irgendwie erschrocken. Ich fühlte mich sehr klein.
97 Dann drehte ich mich zu Tschick.
98 Er sah mir in die Augen und sagte: „Wahnsinn, oder?"
99 „Ja, Wahnsinn!"

Fortsetzung folgt

1. **Tschick schlägt Maik vor, wegzufahren.**
   **Es kommt zu einem lustigen Missverständnis.**

a) Lies mit einem Partner, was sie sagen.

b) Unterstreicht blau, was Tschick sagt.
   Unterstreicht grün, was Maik sagt.
   Tipp: Tschick beginnt das Gespräch.

„Und wenn wir wegfahren? Lass uns
Urlaub machen, wie normale Leute."
„Wovon redest du?"
„Wir nehmen den Lada und fahren los."
„Wenn wir das machen, wo willst du dann hin?"
„Ist doch egal."
„Wenn man wegfährt, wär es irgendwie gut,
wenn man weiß, wohin."
„Wir könnten meine Verwandtschaft besuchen.
Ich habe einen Großvater in der Walachei."
„Und wo wohnt der?"
„Wie, wo wohnt der? Der wohnt in der Walachei."
„Also irgendwo weit weg."
„Nein, in der Walachei."
„Das ist doch dasselbe. ‚Walachei' bedeutet
irgendein Ort weit weg oder so."
„Ein Teil meiner Familie kommt von da.
Die Walachei ist ein Gebiet in Rumänien."

c) Lest das Gespräch in verteilten Rollen.
   Achtet besonders auf die Betonung.

d) Was ist das Missverständnis?
   Sprecht darüber.

**2.** Tschick und Maik sind in **Berlin** in **Deutschland**.
Der Großvater von Tschick lebt in der **Walachei**
in **Rumänien**.

a) Suche die Orte auf der Karte:
– Unterstreiche **Berlin** und die **Walachei**.
– Ziehe eine Linie von Berlin in die Walachei.

b) Schreibe in dein Heft, durch welche Länder
die Jungen nacheinander fahren können.

3. **Es ist ein Sonntag in den Ferien um 4 Uhr morgens.**
   **Was passiert? Ergänze die richtigen Wörter.**

   Tschick _____ den Lada erneut.
   <u>repariert / stiehlt</u>

   Sie packen _____ und
   <u>Schlafsäcke / Wolldecken</u>

   verschiedene andere Sachen in das Auto.

   Sie fahren auf direktem Weg aus _____ raus.
   <u>München / Berlin</u>

4. **Wie verläuft der erste Reisetag?**
   **Lies die Sätze. Schreibe sie in dein Heft.**
   **Verwende dabei die Satzanfänge aus dem Kasten.**

   > Dann / Später / Nun / Jetzt / Zuerst / Plötzlich /
   > Schließlich / Auf einmal / Deshalb

   Sie schaffen es auf den Autobahn-Zubringer.
   Sie fahren Richtung Dresden.
   Sie nehmen kleine Straßen mit weniger Verkehr.
   Sie landen auf einer Sandpiste.
   Sie machen im Auto ein Picknick.
   Sie fahren nicht weiter, weil es gewittert.
   Sie schlafen die Nacht im Auto.

5. **Ein anderer Autofahrer zeigt mit den Händen,**
   **dass er sich das Kennzeichen von dem Lada**
   **notiert hat. Maik zittert in dem Moment vor Angst.**
   **Was sagt er genau?**
   **Unterstreiche den Satz.**

6. **Tschick bringt Maik das Autofahren bei.**
**Was muss man machen, wenn man**
**den Führerschein erwerben will?**
**Informiere dich im Internet.**
**Beantworte die Fragen.**
**Schreibe die Fragen und die Antworten in dein Heft.**

- Wo lernt man für den Führerschein?
- Welchen Unterricht gibt es?
- Wie viele Fahrstunden muss man mindestens
  nehmen?
- Auf welchen Straßen übt man das Fahren?
- Bei welchen Tageszeiten übt man das Fahren?
- Welche Prüfungen muss man bestehen?

7. **Was passiert noch am zweiten Reisetag?**
**In den Sätzen sind die Zeiten und die Orte vertauscht.**
**Schreibe die Sätze richtig in dein Heft.**
**Tipp: Lies noch einmal die Seiten 34 und 35.**

**Auf einem Parkplatz** holen sie sich Brötchen
und treffen zufällig einen Klassenkameraden.

Achtung
Fehler!

**Am Abend** sehen sie zwei Polizisten, die
die Nummernschilder der Autos kontrollieren.

**In einer Bäckerei** schrauben sie die Nummernschilder
von einem anderen Auto ab und tauschen sie
mit denen vom Lada.

**Vor der Bäckerei** liegen sie auf dem Rücken
auf einer Wiese und schauen in den Nachthimmel.

# Kapitel 6

1 **A**m nächsten Morgen fuhren wir weiter.
2 Das Problem an diesem Vormittag war, dass wir
3 nichts zu essen hatten. Die Rettung kam dann
4 ein paar Kilometer weiter: Da zeigte
5 ein gelber Wegweiser nach links auf ein kleines Dorf.
6 Dort hing auch schon Werbung für einen Supermarkt.
7 Wir fuhren bis ans Ende des Dorfes und stellten
8 den Lada hinter eine Scheune. Dann liefen wir zurück.
9 Nach einiger Sucherei fanden wir den Supermarkt
10 und kauften ein.

11 Wir gingen mit zwei riesigen Einkaufstüten zurück
12 zum Lada. Ich verschwand kurz in den Büschen.
13 Tschick lief weiter, ohne sich umzudrehen.
14 Als ich wieder auf die Straße trat, war Tschick nur noch
15 wenige Schritte vom Lada entfernt.
16 In dem Moment kam aus einer Einfahrt ein Mann.
17 Er zerrte ein Fahrrad auf die Straße. Der Mann trug
18 eine blaue Hose und ein hellblaues Hemd.
19 Eine weiße Schirmmütze rollte davon,
20 als er das Fahrrad zum Reparieren umdrehte.

21 Erst jetzt erkannte ich, dass es ein Polizist war.

22 Der Polizist schaute hoch und entdeckte Tschick.

23 Tschick hatte gerade die Einkaufstaschen

24 auf den Rücksitz gestellt und wollte sich

25 auf den Fahrersitz setzen.

26 Der Polizist sah zu ihm hinüber.

27 Sobald Tschick den Motor anlassen würde, war klar,

28 was passieren würde. Ich brüllte über die Straße:

29 „Und vergiss nicht, den Schlafsack mitzubringen!"

30 Was Besseres fiel mir nicht ein.

31 Der Polizist drehte sich zu mir um, Tschick ebenfalls.

32 „Vater sagt, du sollst den Schlafsack mitbringen!

33 Den Schlafsack!", rief ich. Ich zeigte unauffällig

34 auf den Polizisten.

35 Tschick begriff sofort und holte einen der Schlafsäcke

36 aus dem Auto. Er tat jetzt so, als würde er

37 das Auto wieder abschließen.

38 Dann kam er mit dem Schlafsack auf mich zu.

39 Doch auf einmal blieb er stehen.

40 Unser Täuschungs-Versuch war wohl nicht wirklich

41 gelungen. Tschick ging rückwärts. Er fing an zu rennen.

42 Der Polizist rannte hinterher, aber Tschick saß

43 schon wieder am Steuer und fuhr los. Ich stand

44 wie gelähmt da, bis der Polizist sich zu mir umdrehte.

45 Da lief ich zum Fahrrad des Polizisten,

46 drehte es herum und sprang in den Sattel.

47 Bis zu diesem Moment war ich wahnsinnig aufgeregt

48 gewesen. Doch jetzt wurde es der reinste Albtraum.

49 Ich kam nicht richtig von der Stelle.

50 Der Polizist war schon dicht hinter mir.

51 Ich trat mit aller Kraft in die Pedalen.

52 So schaffte ich es, dem Polizisten davonzufahren.

53 Ich raste durch das Dorf, um die Ecken, und endlich

54 auf einem kleinen Weg in die Felder.

55 Ich versteckte mich mit dem Polizeifahrrad

56 in einem dichten Gebüsch in einem Wald.

57 Ich verbrachte die Nacht allein dort.

58 Mit dem ersten Sonnenstrahl fuhr ich

59 zu unserem Schlafplatz auf den Berg zurück.

60 Aber Tschick war nicht da.

61 Ich war wahnsinnig enttäuscht. Ich wartete.

62 Irgendwann fiel mein Blick auf eine leere Cola-Flasche.

63 Oben im Flaschenhals steckte ein kleiner Zettel.

64 Darauf stand: „Ich hole dich bei Sonnenuntergang

65 hier ab."

66 Ich saß bis zum Abend glücklich auf dem Berg.

67 Dann kam ein schwarzes Auto angefahren, und

68 Tschick stieg aus. Der Wagen war unser Lada.

69 Zuerst umarmte ich Tschick, dann boxte ich ihn, und

70 dann umarmte ich ihn wieder. „Mann!", schrie ich.

71 „Wie findest du die Farbe?", fragte Tschick, und dann

72 schossen wir schon mit Vollgas den Hügel hinunter.

73 Tschick hatte in einem Baumarkt Klebeband

74 und Sprühdosen geklaut und gewartet, bis

75 keine Polizeiautos mehr vorbeifuhren. In der Nacht

76 hatte er den Wagen umgespritzt. Und an andere

77 Nummernschilder hatte er auch gedacht.

Fortsetzung folgt

1. Nach dem Einkauf im Supermarkt sieht ein Polizist,
   dass Tschick sich auf den Fahrersitz von dem Lada
   setzen will. Der Polizist wird misstrauisch.
   **Was denkt er wohl?**
   **Schreibe in die Denkblase.**

   *Der Junge ist* _____
   _____
   _____

2. Die Polizei macht zum Beispiel Verkehrs-Kontrollen.
   Welche Papiere muss ein Autofahrer
   bei einer Verkehrs-Kontrolle vorzeigen?
   Setze die Silben jeweils richtig zusammen.
   Schreibe auf.

   Diese Papiere muss ein Autofahrer vorzeigen:

   so  Per  aus  nal  weis :

   den ▯▯▯▯▯▯▯▯▯▯▯▯▯▯▯▯▯

   schein  rer  Füh :

   den ▯▯▯▯▯▯▯▯▯▯▯▯

   zeug  pie  re  pa  Fahr :

   die ▯▯▯▯▯▯▯▯▯▯▯▯▯▯

3. Stellt euch vor, der Polizist kontrolliert
   die Jungen und das Auto.
   Welche Straftaten könnte er feststellen?
   Verbinde so, dass die Aussagen stimmen.

| Der hellblaue Lada | sind auch gestohlen. |
| Tschick und Maik | ist gestohlen. |
| Die Nummernschilder | fahren ohne Führerschein. |

4. Tschick und Maik können getrennt flüchten.
   Dort, wo sie schon mal übernachtet haben,
   treffen sie sich am nächsten Tag wieder.
   Was ist anders?
   Kreuze die richtigen Antworten an.

   ❑ Tschick kommt zu Fuß den Berg hinauf.
   ❑ Der Lada ist jetzt nicht mehr hellblau, sondern schwarz.
   ❑ Tschick hat sich die Haare blond gefärbt.
   ❑ Die Nummernschilder am Lada sind ausgetauscht.

5. Maik freut sich sehr, als er Tschick wiedersieht.
   Warum freut er sich?
   Sprecht in der Klasse darüber.
   Begründet eure Meinung.

   nicht erwischt / nicht mehr allein / Freunde geworden /
   Reise-Abenteuer geht weiter / kein Langweiler mehr

# Kapitel 7

1 **A**m nächsten Tag waren wir wieder
2 auf der Autobahn. Diesmal nicht aus Versehen.
3 Wir fühlten uns sicher genug, wir wollten
4 schneller vorankommen, und das taten wir auch.
5 Und zwar ungefähr fünfzig Kilometer pro Stunde.
6 Dann zeigte Tschick auf die Tankanzeige, die schon
7 weit im roten Bereich war. „Scheiße", sagte er.
8 Wir hatten vorher gar nicht daran gedacht,
9 dass wir tanken mussten.

10 Mir fiel ein, dass zwei Achtklässler im Auto
11 beim Tankstellen-Personal wahrscheinlich
12 nicht gut ankommen würden. Trotzdem
13 fuhren wir an der nächsten Tankstelle erst mal raus.
14 „Einer geht zu der Zapfsäule ganz außen, der andere
15 fährt mit dem Lada ran – zack, tanken und weg",
16 schlug Tschick vor. „Sparen wir außerdem Geld."
17 Er hielt es für einen glänzenden Plan. Aber es war
18 zu viel los an der Tankstelle.
19 Wir holten uns erst mal ein Eis und überlegten
20 weiter. Plötzlich fiel mir ein, wie wir an Benzin
21 kommen konnten. Wir mussten das Benzin doch nur
22 aus einem anderen Auto rausholen! Das war
23 ganz einfach. Dazu brauchte man einen Schlauch.
24 Den steckte man in den Tank und saugte einmal an,
25 dann lief alles oben raus.
26 Wir aßen noch ein Eis und dann noch eins. Als wir
27 danach immer noch keine bessere Idee hatten,
28 beschlossen wir, es wenigstens mal zu versuchen.
29 Aber wir hatten keinen Schlauch. Wir suchten zuerst
30 das Gelände hinter der Tankstelle ab, dann das Feld
31 dahinter. Wir fanden alles Mögliche, aber keinen
32 Scheißschlauch. Als wir nicht mehr weiterwussten,
33 fiel Tschick ein, dass er auf dem Weg zur Tankstelle
34 eine Müllkippe gesehen hatte. Wir gingen zu Fuß
35 dorthin. Wir brauchten über zwei Stunden.

36 Wir waren nicht die Einzigen, die auf den Müllbergen
37 nach etwas suchten. Ein alter Mann, zwei Kinder
38 und ein Mädchen in unserem Alter waren auch da.
39 Tschick fand einen Kanister, das war natürlich super.

40 Aber Schläuche – Fehlanzeige.

41 Ich suchte gerade bei den Waschmaschinen, da kletterte

42 das Mädchen an mir vorbei, ohne mich anzusehen.

43 Sie lief barfuß, ihre Beine waren schwarz bis zum Knie.

44 Darüber trug sie eine hochgekrempelte Hose und

45 ein schmutziges T-Shirt.

46 Sie hatte schmale Augen, volle Lippen und

47 eine kleine Nase. Ihre Haare sahen aus, als seien sie

48 beim Schneiden mit der Maschine kaputt gegangen.

49 Wir suchten und suchten.

50 Da rief uns von Weitem das Mädchen etwas zu.

51 „He, ihr Schwachköpfe!", rief sie.

52 Wir gingen hin.

53 „Was sucht ihr denn?"

54 „Einen Berg Scheiße", sagte Tschick.

55 „Schläuche!", rief ich.

56 Das Mädchen zeigte uns, wo es Schläuche gab.

57 Ein riesiger Haufen lag da.

58 Tschick schnappte sich einen.

59 „Eingebaute Krümmung!", rief er und strahlte.

60 Das Mädchen würdigte er keines Blickes.

61 „Wozu braucht ihr den?", fragte sie.

62 „Für meinen Vater zum Geburtstag", sagte Tschick.

63 „Ich habe euch den Scheiß gezeigt, jetzt könnt ihr

64 mir auch sagen, wozu ihr den braucht."

65 „Wir haben ein Auto geklaut", sagte Tschick,

66 „und jetzt müssen wir noch Benzin klauen."

67 Wir liefen mit dem Kanister und drei Schläuchen los.

68 Das Mädchen kam hinter uns her.

69 „Ich hab Hunger", sagte sie.

70 „Da vorn sind Brombeeren", sagte ich.

71 Tschick und ich gingen einfach weiter.

72 Das Mädchen lief immer noch hinter uns her.

73 Sie redete und redete – und sie stank. Sie erzählte

74 nichts von sich, wollte aber von uns alles wissen.

75 Dann kamen wir zu den Brombeeren. Wir stürzten uns

76 alle drei hungrig darauf.

77 „Wir müssen das Mädchen loswerden", flüsterte Tschick.

78 Und er sagte laut: „Wir gehen jetzt allein weiter."

79 „Wieso?", fragte das Mädchen.

80 „Wir müssen nach Hause."

81 Tschick erklärte ihr ungefähr fünfhundertmal,

82 dass wir sie nicht dabei haben wollten.

83 Aber sie folgte uns.

84 Dann sagte er zu ihr: „Du stinkst! Hau ab!"

85 Und wir rannten davon. Da folgte sie uns nicht mehr.

86 An der Tankstelle kauften wir Süßigkeiten

87 und Cola. Wir versteckten den Kanister und

88 die Schläuche hinter der Leitplanke und liefen

89 über den Parkplatz. Im Vorbeigehen versuchten wir,

90 die Tankdeckel zu öffnen. Keiner ließ sich öffnen,

91 bis wir zu einem sehr alten Auto kamen.

92 Wir warteten noch, bis es dunkel war.

93 Aber der Trick mit dem Schlauch klappte einfach nicht.

94 Da sah Tschick einen Schatten.

95 Es war das Mädchen.

96 „Ihr Schwachköpfe", sagte sie. Sie nahm den Schlauch

97 und saugte vielleicht fünfzehnmal daran.

98 „So", sagte sie. „Wo ist der Kanister?"

99 Und so lernten wir Isa kennen.

Fortsetzung folgt

1. Maik und Tschick brauchen Benzin für das Auto.
   Warum können sie es nicht einfach
   an der Tankstelle kaufen?
   Schreibe in eigenen Worten auf.
   Berate dich mit einem Partner.

   _____

   _____

   _____


2. Es kommen diese Nomen (Namenwörter)
   in Kapitel 7 vor:
   **die Zapfsäule, der Kanister, die Leitplanke.**

a) Unterstreiche die Nomen im Text.
   Lies dazu noch einmal die Seiten 47 bis 49.

b) Schreibe jedes Nomen unter das richtige Bild.

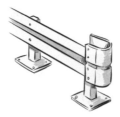

_____

_____

_____

3. Maik hat die Idee, das Benzin aus
   einem anderen Auto rauszuholen.
   Auch das ist eine Straftat.
   **Welche Straftat ist es? Kreuze an.**

   Benzin ohne Erlaubnis aus einem anderen Auto
   rauszuholen, ist …
   ❏ ein Überfall.
   ❏ Diebstahl.
   ❏ Beleidigung und üble Nachrede.

4. **Die Jungen gehen zu Fuß zu einer Müllkippe.**
   **Wer ist noch auf der Müllkippe?**
   **Verbinde mit dem richtigen Bild.**

| ein alter Mann, zwei Kinder und ein Mädchen im Alter von Maik und Tschick |
| --- |

5. Es gibt Menschen, die auf Müllkippen
nach brauchbaren Dingen oder Essen suchen.
Manche von ihnen sind Obdachlose.

a) Lies den folgenden Sachtext.

### Obdachlose Menschen

1 Menschen, die **kein zu Hause** haben und
2 **auf der Straße leben,** werden auch
3 Obdachlose genannt. Sie haben **keine Arbeit**
4 und **kaum Geld.** Sie haben aber Hunger und Durst
5 wie andere auch. Sie brauchen Kleidung,
6 zum Beispiel eine warme Jacke, wenn es kalt ist.

7 Es gibt auch Kinder und Jugendliche,
8 die auf der Straße leben.
9 Sie nennt man meist „**Straßenkinder**".
10 Straßenkinder haben oft große Probleme und
11 sind **von zu Hause fortgelaufen.** Sie leben dann
12 **ohne Schutz** auf der Straße statt geborgen
13 in einer Familie oder in einem Heim.
14 Manche werden **alkohol- und drogenabhängig**
15 und beginnen zu **stehlen,** um an Geld zu kommen.

16 Sozialarbeiter, die den obdachlosen Jugendlichen
17 helfen, heißen Streetworker [englisch: Strietwörker].
18 Sie sind auf den Straßen unterwegs und
19 sprechen mit den Jugendlichen.
20 Sie sorgen dafür, dass die Jugendlichen
21 wieder nach Hause gehen oder
22 in eine Wohngruppe ziehen und
23 die Schule wieder besuchen.

**b) Was erfährst du im Sachtext auf Seite 52
über obdachlose Menschen?
Lies die fett gedruckten Wörter.**

**c) Was erfährst du über Sozialarbeiter?
Unterstreiche wichtige Wörter im letzten Abschnitt.**

**d) Ergänze die fehlenden Wörter.**

Menschen, die kein zu Hause haben, werden

auch _____ genannt.

Sie haben keine _____ und kaum _____.

Es gibt auch Kinder und Jugendliche,

die auf der _____ leben.

Sie nennt man meist „_____".

Sie haben oft große _____ und

sind von zu Hause _____.

Sie leben ohne _____ auf der Straße.

Sozialarbeiter, die den obdachlosen Jugendlichen helfen,

heißen _____.

Sie sorgen dafür, dass die Jugendlichen wieder

_____ gehen oder

in eine _____ ziehen und

die _____ wieder besuchen.

# Kapitel 8

1 Isa schaute von der Rückbank genau zu, wie Tschick
2 den Lada anließ und Gas gab. Natürlich hatten wir
3 überhaupt keine Lust darauf, dass sie mitfuhr.
4 Aber nach dieser Benzinsache war es schwer,
5 sie nicht wenigstens ein Stück mitzunehmen.
6 Als wir auf die Autobahn rollten, hatten wir
7 alle Fenster geöffnet.
8 Isa saß hinten und redete die ganze Zeit.
9 Ihr fiel auf einmal ein, dass sie eine Halbschwester
10 in Prag hatte, die sie dringend besuchen musste.

11 Vor uns tauchte am Horizont eine riesige Bergkette auf,
12 wir fuhren genau darauf zu. Wir hatten keine Ahnung,
13 was das für Berge waren.
14 Eine halbe Stunde später krochen wir dann langsam
15 die Serpentinen rauf. Dann kam ein Wald.
16 Als der Wald endete, standen wir über einer Schlucht
17 mit einem glasklaren See darin.
18 Wir fuhren hinunter und parkten den Lada am See.
19 Es war der ideale Platz zum Übernachten.
20 Da schauten Tschick und ich uns an, wir packten Isa
21 und warfen sie ins Wasser. Sie tauchte wieder auf und
22 verfluchte uns. Tschick warf ihr eine Flasche Duschzeug zu.
23 Und dann stieß Tschick mich ins Wasser.
24 Es war noch kälter als kalt. Tschick sprang auch hinein.
25 Isa und ich schwammen an Land.
26 Isa zog sofort Shirt und Hose und alles aus und
27 fing an, sich einzuseifen. Das war ungefähr
28 das Letzte, womit ich gerechnet hatte.
29 „Herrlich", sagte sie. Sie stand im knietiefen Wasser,
30 schaute in die Landschaft und schäumte ihre Haare ein.
31 Ich wusste nicht, wo ich hingucken sollte.
32 Wir trockneten uns alle mit einem Handtuch ab.
33 Mit Blick auf Berge und Täler aßen wir Süßigkeiten.
34 Wir versuchten an diesem Abend, immer wieder
35 rauszukriegen, woher Isa kam und was sie
36 auf der Müllkippe gemacht hatte.
37 Aber alles, was sie erzählte, waren wilde Geschichten.
38 Das Einzige, was sie verriet, war, dass sie Schmidt hieß,
39 Isa Schmidt.
40 Früh am nächsten Morgen fuhr Tschick allein los,
41 um im nächsten Dorf etwas zu essen zu kaufen.

42 Isa bat mich, ihr die Haare zu schneiden.

43 Schließlich fehlte nur noch der Pony. „Muss nicht

44 genau sein", sagte Isa, „der Rest ist doch auch

45 krumm und schief."

46 „Überhaupt nicht. Sieht super aus", sagte ich.

47 „*Du* siehst super aus."

48 Als ich fertig war, setzten wir uns nebeneinander

49 auf einen Stein und warteten auf Tschick.

50 Vor uns lagen die Berge im blauen Morgennebel.

51 „Hast du schon mal gefickt?", fragte Isa.

52 „Was?"

53 „Du hast gehört, was ich gesagt habe."

54 Sie hatte ihre Hand auf mein Knie gelegt.

55 Mein Gesicht fühlte sich an, als hätte man

56 heißes Wasser darüber gegossen.

57 „Nein", sagte ich.

58 „Und?"

59 „Was und?"

60 „Willst du?"

61 „Nein", sagte ich mit hoher fiepsiger Stimme.

62 Wir schwiegen. Mein Gehirn nahm ungeheuer Fahrt auf.

63 Ich hätte bestimmt fünfhundert Seiten gebraucht,

64 um aufzuschreiben, was mir in den nächsten

65 fünf Minuten alles durch den Kopf ging.

66 Ich fand Isa toll und immer toller. Aber mir reichte es,

67 an diesem Nebelmorgen mit ihr dazusitzen und

68 ihre Hand auf meinem Knie zu haben.

69 Es war wahnsinnig schade, als sie ihre Hand

70 wieder wegnahm. Ich übte in Gedanken

71 und sagte dann: „Aber ich fand es schön mit deiner,

72 äh, Hand auf meinem Knie."

73 „Ach?" Isa legte ihren Arm um meine Schulter.

74 „Wir könnten ja auch erst mal küssen,

75 wenn du magst."

76 In dem Moment kam Tschick mit zwei Brötchen-Tüten an,

77 und es wurde nichts mit Küssen.

78 Nach dem Frühstück fuhren wir den Berg weiter hinauf.

79 Auf einem Parkplatz hielten wir. Von da an ging es

80 zu Fuß zum Gipfel. Zwei Stunden brauchten wir

81 bis ganz oben. Es lohnte sich, es sah aus wie

82 auf tollen Postkarten. Als wir später wieder abstiegen,

83 standen Reisebusse auf dem Parkplatz.

84 Isa rannte zu einem hin und redete auf den Fahrer ein.

85 Dann kam sie zum Lada zurück und rief:

86 „Habt ihr mal dreißig Euro? Ich kann euch das

87 später wiedergeben, ich schwör! Meine Halbschwester

88 hat Geld. Der Busfahrer dahinten nimmt mich mit!"

89 Ich war sprachlos.

90 Isa holte ihre Sachen aus dem Lada,

91 sah Tschick und mich schief an und sagte:

92 „Mit euch schaff ich's nie. Tut mir leid."

93 Sie umarmte Tschick.

94 Dann sah sie mich einen Moment lang an,

95 umarmte mich und küsste mich auf den Mund.

96 Ich gab ihr dreißig Euro, und sie rannte zum Bus.

97 „Ich meld mich!", rief sie. „Kriegst du wieder!"

98 Aber ich wusste, dass ich sie nie wiedersehen würde.

99 „Hast du dich schon wieder verliebt?", fragte Tschick.

100 „Im Ernst, du hast ja echt ein glückliches Händchen

101 mit Frauen, oder wie sagt man das?"

Fortsetzung folgt

1. **Tschick und Maik fahren weiter.**
   **Obwohl sie keine Lust haben, nehmen sie Isa mit.**
   **Welchen Grund haben sie wohl dafür?**
   **Ergänze die Sätze mit passenden Worten.**
   **Berate dich mit einem Partner.**

   Wenn Isa nicht geholfen hätte,

   könnten sie gar nicht _____.

   Ohne Isa hätten sie kein _____.

   Es wäre _____, Isa jetzt nicht mitzunehmen.

2. **Isa erzählt während der Fahrt nur wenig über sich.**
   **Was erzählt sie?**
   **Streiche die falschen Sprechblasen durch.**
   **Zeichne den Rand der richtigen Sprechblasen nach.**

   Ich heiße Isa Meier.

   Ich heiße Isa Schmidt.

   Ich habe einen Bruder
   in der Walachei.

   Ich habe eine Halbschwester in Prag,
   die ich dringend besuchen muss.

**3.** Die drei fahren Serpentinen hinauf.
   Was sind **Serpentinen**?

**a)** Lies die Worterklärung.

|  |
| --- |
|  |

**die Serpentinen:**

in Kurven

und Windungen

schlangenförmig

ansteigende Bergstraße

**b)** Male eine Straße aus Serpentinen in den Rahmen.

**4.** Später finden die drei einen Platz
   zum Übernachten.
   Kreuze jeweils die richtige Antwort an.
   Tipp: Lies noch einmal Seite 55.

**a)** Wo übernachten sie?

   ❏ in einer Berghütte für Wanderer
   ❏ in einer Höhle am Berg
   ❏ in einer Schlucht mit einem glasklaren See

**b)** Was wirft Tschick Isa beim Baden zu?

   ❏ eine Tüte Brötchen
   ❏ eine Flasche Duschgel
   ❏ eine Haarbürste

5. Maik weiß am See nicht, wo er hinschauen soll.
   Warum ist er verlegen?
   Ergänze ein passendes Wort.

   Isa steht _____ im knietiefen Wasser, schaut

   in die Landschaft und schäumt ihre Haare ein.

6. Maik schneidet Isa die Haare.
   Zum Schluss fehlt nur noch der Pony.

a) Lies, was die beiden sagen.

   Isa sagt: „Muss nicht genau sein. Der Rest ist doch
   auch krumm und schief."

   Maik erwidert: „Überhaupt nicht. Sieht super aus.
   *Du* siehst super aus."

b) Maik sagt Isa offen, was er denkt.
   Überlege mit einem Partner:

   – Wie hat sich Maik noch in der Schule verhalten?
   – Kannte er die Mitschüler gut?
   – Was für ein Typ war er?
   – Und wie ist er jetzt?

c) Wie findest du es, dass Maik offen sagt, was er denkt?
   Ergänze den Satz. Wähle ein passendes Adjektiv aus.
   Begründe deine Meinung.

   ┌──────────────────────────────────────────────┐
   ┊ mutig / cool / peinlich / frech / freundlich ┊
   └──────────────────────────────────────────────┘

   *Ich finde es* _____ *, weil* _____

   _____.

**7. Maik und Isa sitzen auf einem Stein nebeneinander.**

a) Lies noch einmal Seite 56.

b) Isa und Maik kommen sich näher.
An welchen Sätzen oder Wortgruppen erkennst du,
wie Maik sich dabei fühlt?
Unterstreiche die Sätze auf Seite 56.

c) Was trifft auf Maik zu?
Kreuze jeweils den passenden Satz an.

- ❏ Maik ist nicht in Isa verliebt.
- ❏ Maik ist in Isa verliebt.

- ❏ Maik ist verlegen.
- ❏ Maik ist cool.

- ❏ Maik mag die Nähe zu Isa nicht.
- ❏ Maik genießt die Nähe zu Isa.

**8. Isa reist nach Prag.**

a) Wie fühlt sich Maik jetzt wohl?
Was denkt er vielleicht?
Schreibe in eigenen Worten in die Denkblase.

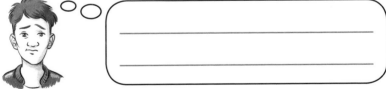

b) Vergleiche mit einem Partner,
was ihr geschrieben habt.

# Kapitel 9

1 Tschick und ich fuhren weiter. Raus aus den Bergen.
2 Hinter einem kleinen Dorf hörte die Straße plötzlich auf.
3 Wir fuhren über ein Feld. Als ich mich umdrehte,
4 sah ich in einiger Entfernung ein Polizeiauto.
5 Ich machte Tschick darauf aufmerksam.
6 Jetzt rasten wir mit fast achtzig Stundenkilometern
7 durchs Gelände.
8 Schräg vor uns sahen wir irgendwo die Autobahn.
9 Neben uns war ein steiler Abhang.
10 Ich blickte verzweifelt hinten durch die Scheibe.
11 Tschick steuerte auf den Abhang zu.
12 Es gab keinen anderen Weg.

13  „Runter oder was?", rief Tschick.

14  Ich wusste nicht, was ich antworten sollte.

15  Er tippte noch auf die Bremse, dann rauschten wir

16  schon über die Kante – und das war's.

17  Möglicherweise hätten wir es geschafft, wenn wir

18  gerade runtergefahren wären.

19  Aber Tschick fuhr schräg über den Abhang.

20  Der Lada kam sofort ins Rutschen. Er überschlug sich

21  vielleicht drei-, vier-, fünf- oder sechsmal.

22  Dann blieb er auf dem Dach liegen.

23  Die Beifahrer-Tür war aufgesprungen, und ich versuchte

24  rauszukriechen, was mir nicht gelang.

25 Ich dachte, dass ich gelähmt bin. Aber dann merkte ich,

26 dass ich im Sicherheits-Gurt festhing.

27 Als ich endlich draußen war, sah ich in dieser

28 Reihenfolge: einen grünen Autobahn-Mülleimer

29 direkt vor mir, einen umgedrehten Lada, unter dessen

30 Motorhaube es dampfte und zischte, und Tschick,

31 der auf allen vieren durchs Gelände kroch.

32 Er rappelte sich auf, taumelte ein paar Schritte

33 und rief: „Los!" Er fing an zu rennen.

34 Aber ich rannte nicht los. Wohin denn? Hinter uns

35 war vermutlich die Polizei, vor uns die Autobahn.

36 Tschick kam zurück. „Stimmt was nicht?", fragte er.

37 Ich wollte gerade zu einer Erklärung ansetzen,

38 da hörten wir Laub rascheln. Eine sehr dicke Frau

39 kam mit einem Feuerlöscher angerannt. Nichts brannte.

40 „Ist euch was passiert?", fragte die Frau. Sie hatte

41 unseren Unfall beobachtet und zitterte wahnsinnig.

42 Sie schaute Tschick an, zeigte auf einen Tropfen Blut,

43 der an seinem Kinn herunterlief und sagte:

44 „O mein Gott!" Dann fiel ihr der schwere Feuerlöscher

45 aus der Hand und auf Tschicks Fuß.

46 Tschick kippte sofort nach hinten um und schrie.

47 Und das war jetzt die Lage: Da waren wir

48 Hunderte Kilometer durch Deutschland gefahren,

49 auf einer Müllkippe gewesen, hatten uns versteckt,

50 waren einen Abhang runtergebrettert, hatten uns

51 mehrmals überschlagen und alles mehr oder weniger

52 ohne Schramme überstanden – und jetzt das!

53 „Es tut mir unendlich leid!", sagte die Frau.

54 „Du musst sofort ins Krankenhaus." Dann hob sie Tschick

55 auch schon hoch, als sei er eine Scheibe Brot.

56 Sie fuhr uns zu einem Krankenhaus in der Nähe.

57 Die Frau hatte so ein schlechtes Gewissen,

58 dass sie uns nicht verriet und alles bezahlen wollte.

59 Wir sagten, dass wir mit dem Zug nach Hause fahren

60 würden. Und sie glaubte uns. Die Frau gab uns

61 noch etwas Geld und verabschiedete sich.

62 Tschick bekam einen Gips und Krücken.

63 Später taten wir so, als würde uns unsere Tante

64 abholen. Aber dann rannten wir zum Lada zurück.

65 Das heißt, ich rannte, Tschick nicht so.

66 Den Lada hatte die Polizei für das Abschleppen

67 wohl schon wieder aufrichten lassen.

68 Das Dach und die rechte Seite hatten Beulen.

69 Tschick zwängte sich auf den Fahrersitz.

70 Er schaffte es aber nicht, mit dem Gipsfuß

71 das Gas-Pedal zu bedienen.

72 Tschick rutschte rüber auf den Beifahrer-Sitz.

73 Ich sagte: „ Du hast sie doch nicht alle."

74 „Du musst nur Gas geben und lenken.

75 Ich schalte die Gänge", sagte Tschick.

76 Ich setzte mich hinters Steuer und erklärte Tschick,

77 dass das nicht ging. Wenn ich nur sah, wie die Autos

78 auf der Autobahn mit zweihundert an uns

79 vorbeirauschten, dann wusste ich, das ging nicht.

80 „Ich muss dir ein Geheimnis verraten", sagte ich.

81 „Ich bin der größte Feigling unter der Sonne,

82 der größte Langweiler und der größte Feigling.

83 Und jetzt können wir nur zu Fuß weiter."

84 „Wie kommst du denn auf Langweiler?", fragte Tschick.

85 Er erklärte, dass er sich mit mir nicht eine Sekunde

86 gelangweilt hat. Und er meinte, Tatjana
87 würde mich auch nicht für einen Langweiler halten.
88 Er sagte: „Die Mädchen mögen dich nicht,
89 weil sie Angst vor dir haben … weil du sie wie Luft
90 behandelst. Aber du bist doch kein Langweiler,
91 du Penner. Und Isa mochte dich ja auch sofort."
92 Ich sah Tschick an, und ich glaube, mein Mund
93 stand offen.
94 „Ich kann das beurteilen. Soll ich dir ein Geheimnis
95 verraten?", fragte Tschick und schluckte.
96 Zuerst kam fünf Minuten nichts, aber dann sagte er:
97 „Ich kann es beurteilen, weil es mich nicht interessiert.
98 Also Mädchen." Dann kam wieder lange nichts,
99 ehe er fortfuhr: „Das habe ich noch niemandem gesagt."
100 Und ich müsse mir keine Gedanken machen.
101 Von mir wolle er ja nichts, er wisse ja, dass ich
102 in Mädchen und so weiter. Aber er sei nun mal
103 nicht so und er könne auch nichts dafür.
104 Ich war nicht wahnsinnig überrascht, ich hatte
105 so eine Ahnung gehabt. Tschick ließ seinen Kopf
106 auf das Armaturen-Brett sinken. Ich legte eine Hand
107 in seinen Nacken und dachte einen Augenblick lang
108 darüber nach, auch schwul zu werden.
109 Ich mochte Tschick wahnsinnig gern, aber ich mochte
110 Mädchen lieber. Und dann fuhr ich doch los.

Fortsetzung folgt

1. **Maik und Tschick sehen ein Polizeiauto.**
   **Was fühlen sie wohl, als sie die Polizei sehen?**
   **Unterstreiche die passenden Nomen.**

   die Panik        die Freude        die Müdigkeit

   die Angst        die Trauer        der Stress

   die Liebe        die Unruhe        die Hoffnung

   die Ruhe         die Faulheit      die Anspannung

2. **Tschick rast mit 80 Stundenkilometern davon.**

a) **Was bedeutet die Angabe Stundenkilometer?**
   **Ergänze den Satz.**
   **Berate dich mit einem Partner.**

   Stundenkilometer (km/h) geben die Anzahl

   der _____ an, die ein Fahrzeug
       Zentimeter / Kilometer

   in einer _____ bei gleichbleibender
            Stunde / Minute

   Geschwindigkeit zurücklegt.

b) **Wie weit kommen Tschick und Maik**
   **in einer Stunde, wenn sie von Berlin**
   **mit 80 Stundenkilometern losfahren?**
   **Trage es in den Streckenverlauf ein.**

**Berlin**                                    **Dresden**

0 km    40 km                                 200 km
      20 km

3. Es kommt zu einem Unfall.
   Was passiert nacheinander?
   Nummeriere die Sätze in der richtigen Reihenfolge.

   ☐ Tschick fährt schräg über den Abhang.

   ☐ Der Lada bleibt auf dem Dach liegen.

   ☐ Tschick steuert auf den Abhang zu.

   ☐ Er überschlägt sich mehrere Male.

   ☐ Der Lada kommt ins Rutschen.

4. Wie geht es nach dem Unfall weiter?

a) Lies noch einmal die Seiten 63 und 64.

b) Kreuze jeweils die richtigen Sätze an.

   Maik ...

   ❏ denkt erst, er sei gelähmt.
      Dann merkt er, dass er noch angeschnallt ist.
      Er kann schließlich aus dem Auto herauskriechen.
   ❏ kommt nicht aus dem Lada heraus,
      weil sich die Beifahrer-Tür nicht öffnen lässt.

   Tschick ...

   ❏ ist unverletzt. Er rennt, so schnell er kann,
      ohne Maik davon.
   ❏ blutet im Gesicht. Eine Frau lässt einen Feuerlöscher
      auf den Fuß von Tschick fallen.
      Tschick muss ins Krankenhaus.

**5.** Tschick kann mit dem Gipsbein nicht Auto fahren.
Jetzt sitzt Maik hinter dem Steuer,
aber er will nicht fahren.

**a)** Welches Geheimnis verrät Maik Tschick?
Tipp: Lies noch einmal Seite 65.
Schreibe in die Sprechblase.

*Ich muss dir ein Geheimnis verraten.*

**b)** Warum denkt Maik so schlecht über sich?
Sprich mit einem Partner darüber.

**6.** Tschick hält Maik nicht für einen Langweiler.
Welche Gründe nennt er? Ergänze die Sätze.

> Tatjana / sofort mochte / mit Maik gelangweilt hat

Tschick erklärt, dass er sich nicht eine Sekunde

_____.

Er meint, dass _____ ihn auch nicht

für einen Langweiler hält. Und er erinnert Maik daran,

dass Isa ihn auch _____.

7. Tschick glaubt, dass die Mädchen Maik
   nicht mögen, weil sie Angst vor ihm haben
   und weil er sie wie Luft behandelt.
   **Was denkt ihr?**
   **Sprecht in kleinen Gruppen darüber.**

8. Tschick verrät Maik, dass er schwul ist.
   Das hat er noch nie jemandem verraten.
   **Warum erzählt er es Maik jetzt?**
   **Lies die Sätze am Faden.**

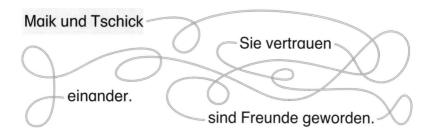

Maik und Tschick
Sie vertrauen
einander.
sind Freunde geworden.

9. **Warum ist es wichtig, Freunde zu haben?**
   **Wann hast du einen Freund / eine Freundin mal**
   **besonders gebraucht?**
   **Schreibe deine Gedanken auf die Linien.**

_____

_____

_____

_____

_____

# Kapitel 10

1 Es war so traurig gewesen, im Krankenhaus zu sitzen

2 und zu denken, alles sei vorbei.

3 Und es war jetzt so wunderbar, wieder

4 durch die Windschutzscheibe vom Lada zu gucken

5 und das Steuer in der Hand zu haben.

6 Wir rollten mit Schwung auf die Autobahn

7 und warteten die nächste größere Lücke im Verkehr ab.

8 Dann beschleunigte ich.

9 Als ein Wagen extrem schnell an uns vorbeiraste,

10 erschrak ich noch. Aber nach einer Weile

11 hatte ich mich beruhigt.

12 Der Schweiß floss in Strömen und klebte
13 meinen Rücken am Sitz fest.
14 Die Beule im Autodach, Tschicks verletzter Fuß und
15 dass wir in einer mit hundert Stundenkilometer
16 fahrenden Schrottkiste unterwegs waren,
17 machte ein ganz seltsames Gefühl in mir.
18 Es war ein gutes Gefühl,
19 ein Gefühl der Unzerstörbarkeit.
20 Irgendwo fuhren wir dann wieder aufs Land und
21 hielten für die Nacht inmitten von Feldern.

22 Am nächsten Tag waren wir wieder auf der Autobahn.
23 Uns überholte ein riesiger Lkw.
24 Es ging leicht bergauf. Der Lkw brauchte
25 eine halbe Stunde, um uns zu überholen.
26 Nebeneinander und übereinander stapelten sich
27 auf dem Lkw Käfige. Aus jedem schaute
28 ein Schwein raus.
29 „Scheißleben", sagte Tschick.
30 Als wir gerade die Hinterräder des Lkw
31 sehen konnten, wurde er langsamer. Dann war
32 das Fahrerhaus wieder auf unserer Höhe.
33 Der Lkw blinkte, setzte sich vor uns und wurde noch
34 langsamer. Ich ging auf die linke Spur, der Lkw auch.
35 Ich fuhr nach rechts. Der Lkw pendelte sich
36 in der Mitte ein. Die Autobahn war so leer wie noch nie.
37 Ich gab Gas, um vorbeizukommen.
38 Wenn Tschick nicht gewesen wäre, hätten wir das
39 nicht überlebt. „Brems!", schrie er. „Brems!"
40 Ich bremste. Der Lkw stand jetzt quer auf der Straße.
41 Der Lada drehte sich leicht.

42 Der Lkw kippte um und zeigte uns seine Reifen.

43 Ich dachte alles Mögliche. Aber es passierte nichts.

44 Es gab keinen Knall.

45 In meiner Erinnerung gab es keinen Knall.

46 Dabei muss es wahnsinnig geknallt haben, denn wir

47 rauschten voll in den Lkw hinein.

48 Einen Moment lang spürte ich nichts.

49 Dann spürte ich, dass ich keine Luft bekam.

50 Der Sicherheits-Gurt schnürte mir die Luft ab.

51 Ich drehte den Kopf. Alles lag voller Scherben,

52 die Beifahrer-Seite neben Tschick war

53 zwanzig Zentimeter weit ins Auto gedrückt worden.

54 „Geht es dir gut?", fragte Tschick.

55 Er hatte es auch überlebt.

56 Ich befreite mich vom Sicherheits-Gurt und

57 kippte zur Seite. Der Lada lag offensichtlich schief,

58 ich musste durch das Seitenfenster aussteigen.

59 Dann sah ich ein Schwein um den Lkw laufen.

60 Eine Menge Schweine rannten hinter ihm her.

61 Ein paar Meter hinter uns hatte ein rotes Auto

62 gebremst.

63 Ich setzte mich auf die Kühlerhaube und

64 hielt mich an der Antenne fest. Und dann

65 sah ich am Horizont die Polizei auftauchen.

66 Kurz darauf löste ein freundlicher Autobahn-Polizist

67 meine Hand von der Antenne.

68 Ich wurde auf der Polizeiwache verhört.

69 Mir war schwindlig. Ich hielt die Klappe.

70 Mir war sehr schwindlig. Ich kratzte mich an der Wade.

71 Nur war da irgendwie keine Wade mehr.

72 Nur ein violetter Streifen Schleim blieb
73 an meiner Hand kleben. Ich zog das Hosenbein hoch
74 und sah nach. Wo war meine Wade?
75 Im nächsten Moment wurde ich ohnmächtig.

76 Im Krankenhaus gefiel es mir richtig gut.
77 Meine Lieblings-Krankenschwester hieß Hanna.
78 Schwester Hanna wechselte jeden Tag
79 meinen Verband.
80 Das tat ziemlich weh. Der Arzt sagte:
81 „Das ist nur ein Stück Fleisch. Muskel wächst nach.
82 Bleibt vielleicht eine kleine Delle oder Narbe."

83 Dann war ich wieder zu Hause. „Er begreift es nicht",
84 sagte mein Vater. Er drehte sich zu meiner Mutter um
85 und sagte: „Er begreift es nicht. Er ist zu dumm.
86 Du hast mächtig Scheiße gebaut, ist dir das klar?"
87 Ich antwortete nicht.
88 Was sollte ich auch antworten?
89 Klar war mir das klar. Und er sagte es ja auch nicht
90 zum ersten, sondern ungefähr zum hundertsten Mal.
91 Mein Vater packte mich an den Schultern und
92 schüttelte mich. „Weißt du, wovon ich rede?
93 Sag gefälligst was!"
94 „Was soll ich denn sagen? Ja, es ist mir klar.
95 Ich hab's verstanden. Ich bin kein Idiot, nur weil ich
96 beim hundertsten Mal …"
97 Zack, er scheuerte mir eine.
98 „Josef, lass doch." Mutter versuchte aufzustehen,
99 verlor aber sofort das Gleichgewicht und ließ sich
100 zurück in den Sessel sinken.

101 Mein Vater holte mit dem Arm aus, und ich zog
102 den Kopf ein. Diesmal brüllte er aber nur: „Nein, nein,
103 nein! Du hast überhaupt keine Scheiße gebaut,
104 du Vollidiot! Dein Russenfreund hat Scheiße gebaut!
105 Und du bist so dämlich, dich da reinziehen zu lassen.
106 Du bist doch zu blöd, um an unserem Auto
107 den Rückspiegel zu verstellen! Glaubst du, du bist
108 allein auf der Welt? Glaubst du, das fällt nicht
109 auf uns zurück? Was meinst du, wie ich jetzt dastehe?
110 Wie soll ich den Leuten Häuser verkaufen, wenn
111 mein Sohn Autos klaut?"
112 „Du verkaufst doch sowieso keine Häuser mehr.
113 Deine Firma ist doch …" Zack, ich fiel zu Boden.
114 Dabei heißt es in der Schule immer:
115 Gewalt ist keine Lösung!
116 „Ich erzähle dem Richter, was passiert ist", sagte ich.
117 „Der ist doch nicht blöd." Mein Vater starrte mich
118 ungefähr vier Sekunden lang an. Das war das Ende.
119 Ich sah noch das Blitzen in seinen Augen, dann sah
120 ich erst mal nichts mehr. Die Schläge trafen mich
121 überall, ich hielt mir die Unterarme vor das Gesicht.
122 Ich hörte meine Mutter schreien und umfallen und
123 „Josef!" rufen. Zuletzt lag ich so am Boden,
124 dass ich durchs Terrassen-Fenster schaute.
125 Ich spürte die Fußtritte noch immer, aber es wurden
126 langsam weniger. Mein Rücken tat weh. Ich sah
127 den blauen Himmel über dem Garten und schniefte.
128 Den Rest des Tages verbrachte ich im Bett.

Fortsetzung folgt

1. Weil Tschick nicht fahren kann,
   fährt Maik den Lada. Er fährt auf die Autobahn.
   Es war für ihn ein seltsames Gefühl.

a) Wie ist dieses Gefühl im Text noch beschrieben?
   Unterstreiche auf Seite 72.

b) Wie würdest du die Gefühle von Maik
   mit eigenen Worten beschreiben?
   Schreibe auf die Linien.

_____

_____

2. Am nächsten Tag passiert wieder ein Unfall.
   Sind die Sätze richtig oder falsch? Kreuze an.
   Tipp: Lies noch einmal die Seiten 72 und 73.

|  | richtig | falsch |
|---|---|---|
| Ein Polizeiauto zwingt Maik zum Bremsen. | ❑ | ❑ |
| Ein Lkw will die Jungen nicht vorbeifahren lassen. | ❑ | ❑ |
| Maik weicht einem Igel aus. | ❑ | ❑ |
| Der Lkw steht plötzlich quer auf der Straße und kippt um. | ❑ | ❑ |
| Maik fährt in die Leitplanke. | ❑ | ❑ |
| Maik fährt in den Lkw hinein. | ❑ | ❑ |

3. **Maik wird auf der Polizeiwache verhört.**
   **Wie verhält sich Maik dabei?**
   **Schreibe die Antwort mit anderen Worten auf.**

   Er hält die Klappe.

   <u>Maik</u>                              .

4. **An der Unfallstelle herrscht Chaos.**
   **Sieh dir die Zeichnung an.**
   **Was fehlt?**
   **Zeichne das Bild zu Ende.**
   **Tipp: Lies noch einmal Seite 73.**

5. Tschick sitzt auf dem Beifahrer-Sitz.
   Du erfährst in diesem Kapitel sonst nur wenig
   über Tschick.

a) Wo im Kapitel erfährst du etwas über ihn?
   Schreibe die Seiten und die Zeilennummern auf.

   Seite _____, Zeile _____ bis _____

   Seite _____, Zeile _____ bis _____

b) Was erfährst du über Tschick?
   Fasse es in vollständigen Sätzen zusammen.
   Schreibe auf die Linien.

> Tschick ruft / bremsen /
> verhindert / Unfall noch schlimmer /
> überlebt

_____

_____

_____

_____

_____

6. Maik ist nach dem Krankenhaus-Aufenthalt
   wieder zu Hause. Der Vater schlägt Maik.

a) Lies den Sachtext auf Seite 79
   über Gewalt gegen Kinder.

**Gewalt gegen Kinder**

1 Gewalt gegen Kinder wird auch
2 **Kindes-Misshandlung** genannt.
3 **Niemand** hat das Recht,
4 einen anderen Menschen zu schlagen.
5 Kinder haben ein Recht auf **gewaltfreie Erziehung.**
6 Eltern, die ihr **Kind schlagen,** machen sich **strafbar.**

7 Bei Gewalt gegen Kinder **helfen** diese Stellen:
8 **Hilfsorganisationen** wie der Kinderschutzbund
9 und Weißer Ring,
10 **Beratungsstellen für Familien,**
11 das **Jugendamt,**
12 die **Polizei.**

b) **Was erfährst du im Sachtext?**
   **Ergänze die Sätze.**

   _____ hat das Recht,

   einen anderen Menschen zu schlagen.

   Kinder haben ein Recht

   auf _____ Erziehung.

   Eltern, die ihr Kind schlagen,

   machen sich _____ .

7. **Wie fühlt sich Maik wohl,**
   **als sein Vater ihn schlägt?**
   **Sprich mit einem Partner darüber.**

# Kapitel 11

1  Ich freute mich darauf, Tschick wiederzusehen.
2  Das war das Einzige, worauf ich mich freute.
3  Ich hatte ihn nicht mehr gesehen seit unserem Unfall
4  auf der Autobahn, und das war jetzt vier Wochen her.
5  Ich wusste nur, dass sie ihn in ein Heim
6  gebracht hatten. Es war ein Heim, wo man erst mal
7  keinen Kontakt haben durfte, nicht mal Briefe
8  bekam man da.

9  Und dann war die Gerichtsverhandlung.
10  Ich war schrecklich aufgeregt. Tschick kam in Begleitung
11  eines Mannes vom Jugendheim.

12 Wir fielen uns in die Arme, und keiner hatte was dagegen.

13 Viel Zeit zum Unterhalten hatten wir allerdings nicht.

14 Der Richter stellte die gleichen Fragen zu dem Unfall,

15 die die Polizisten auch schon gestellt hatten.

16 Es stand alles schon in den Akten.

17 Am „Tatverlauf", wie der Richter das nannte,

18 gab es dann auch keine großen Zweifel mehr.

19 „Was mich interessieren würde: Wer von euch beiden

20 hat die Idee zu dieser Reise in dem gestohlenen Auto

21 gehabt?", fragte der Richter.

22 Die Frage ging an mich.

23 „Na, der Russe, wer sonst!", kam es halblaut von hinten.

24 Mein Vater, der Idiot, hatte das gesagt.

25 *Wir* hatten die Idee", sagte ich, „wir beide."

26 „Quatsch", meldete sich Tschick zu Wort.

27 „Du bist nicht dran", sagte der Richter.

28 Als Tschick dran war, erklärte er sofort, dass

29 das mit der Walachei seine Idee gewesen war und

30 dass er mich geradezu ins Auto gezerrt hatte.

31 Er erzählte völligen Quatsch. Ich sagte dem Richter

32 dann auch, dass das völliger Quatsch sei.

33 Da sagte der Richter zu mir, dass ich nicht dran sei.

34 Als wir schließlich alles über das Auto und die Reise

35 besprochen hatten, kam der schlimmste Teil.

36 Jetzt wurde über uns geredet.

37 Der Typ vom Jugendheim erklärte ausführlich,

38 aus welchen Verhältnissen Tschick kommt.

39 Es hörte sich an, als sei seine Familie so eine Art

40 asozialer Scheiße. Er verwendete aber andere Worte.

41 Dann sprach der Typ von der Jugend-Gerichtshilfe,

42 der mich und meine Eltern zu Hause besucht hatte.

43 Er erklärte, aus was für einem stinkreichen Elternhaus

44 ich komme. Er sagte, dass ich dort vernachlässigt würde

45 und verwahrlost sei. Also ist meine Familie auch

46 so eine Art asozialer Scheiße.

47 Als das Urteil verkündet wurde, war ich überrascht,

48 dass sie mich nicht lebenslänglich einsperrten.

49 Tschick musste in diesem Heim bleiben.

50 Ich sollte Arbeits-Leistungen erbringen. Ich musste

51 dreißig Stunden in der Altenpflege arbeiten.

52 Zum Schluss kamen noch stundenlang Ermahnungen,

53 aber das war okay.

54 Ich hörte mir das sehr genau an, weil mir schien,

55 dass dieser Richter nicht bescheuert war.

56 Und das war dann dieser Sommer.

57 Die Schule fing wieder an. Statt 8 c stand jetzt 9 c

58 an der Tür von unserem Klassenraum.

59 Tschick kam nicht wieder.

60 Ich wurde ein bisschen traurig, als ich

61 den leeren Platz sah.

62 Ich wurde noch trauriger, als ich zu Tatjana

63 rüberschaute, die einen Bleistift im Mund hatte und

64 ganz braun war. Sie war so schön.

65 Alles war wie immer, bis die Tür aufging.

66 „Ich muss mal stören", sagte der Direktor.

67 Er schaute sich um. „Sind die Schüler Klingenberg

68 und Tschichatschow anwesend?"

69 Zwei Polizisten standen hinter dem Direktor.

70 „Nur Klingenberg", sagte Wagenbach.

71 „Dann soll der Klingenberg mal mitkommen",

72 sagte der Direktor.

73 Ich stand so lässig wie möglich auf.

74 Ich fühlte mich großartig, obwohl meine Knie zitterten.

75 „Kennst du Andrej Tschichatschow?", fragte der Polizist.

76 „Ja. Er ist ein Freund von mir."

77 „Wo ist er?"

78 „Im Heim."

79 „Habt ihr Kontakt?"

80 „Nee. Das ist so ein Heim, wo man erst mal

81 keinen Kontakt haben darf. Müssten Sie eigentlich

82 besser wissen. Was ist denn passiert?"

83 „Ein Lada ist verschwunden, in der Annenstraße."

84 „Und was hab ich damit zu tun?"

85 „Der wurde kurzgeschlossen … und heute Nacht

86 mit Totalschaden wiedergefunden."

87 Und da dämmerte es mir so langsam.

88 Tschick und ich würden wahrscheinlich

89 für die nächsten hundert Jahre

90 für jedes beschissene Auto verantwortlich sein,

91 das jemand in unserer Gegend kurzschloss.

92 Ich konnte die Polizisten überzeugen,

93 dass wir es nicht gewesen waren.

94 Das hatten sie wohl schon vorher geahnt,

95 sie machten sich nicht mal Notizen.

96 Ich war fast ein bisschen enttäuscht.

Fortsetzung folgt

**1. Tschick lebt seit dem Autounfall im Jugendheim.**

**a) Lies den folgenden Sachtext.**

### Kinder- und Jugendheime in Deutschland

1 Für Kinder und Jugendliche **ohne Eltern** oder
2 mit **Eltern,** die sich **nicht kümmern** können
3 oder wollen, gibt es in Deutschland Heime.
4 Die Kinder und Jugendlichen leben im Heim
5 in **Gruppen** mit **Erziehern** zusammen.

6 Wenn Jugendliche **straffällig** geworden sind,
7 können sie auch statt in ein Jugendgefängnis
8 in ein Jugendheim kommen.
9 In diesen Jugendheimen werden die Jugendlichen
10 **intensiv betreut.** Sie erhalten **Unterstützung,**
11 damit sie nicht wieder straffällig werden.

**b) Was erfährst du im Sachtext?**
**Lies die fett gedruckten Wörter.**

**c) Beantworte die Fragen mit Stichworten.**

– Für welche Kinder gibt es in Deutschland Heime?

_____

_____

– Mit wem leben die Kinder im Heim zusammen?

_____

– Was erhalten Jugendliche, die straffällig geworden sind?

_____

**2. Eine Gerichtsverhandlung findet statt.**
**Beantworte die Fragen in vollständigen Sätzen.**
**Tipp: Die Wortgruppen im Kasten helfen dir.**

> ein Mann vom Jugendheim / Maik und Tschick /
> die Reise der Jungen in dem gestohlenen Auto
> und der Unfall / der Vater von Maik / der Richter /
> ein Mann von der Jugend-Gerichtshilfe

– Worum geht es in der Gerichtsverhandlung?

Es geht um _____

_____.

– Wer ist angeklagt?

_____

– Wer leitet die Gerichtsverhandlung?

_____

– Wer sitzt hinten im Gerichtssaal?

_____

– Wer erklärt, aus welchen Verhältnissen Tschick kommt?

_____

– Wer sagt etwas zu den Familien-Verhältnissen
der Familie Klingenberg?

_____

_____

**3. Wie ist die Gerichtsverhandlung abgelaufen?
Spielt die Szene.**

So geht ihr vor:

- Was geschieht in der Gerichtsverhandlung
nacheinander?
Schreibt den Ablaufplan auf ein Plakat ab:

*Die Gerichtsverhandlung*
*1. Alle sitzen im Gerichtssaal,*
*nur der Richter fehlt noch.*
*2. Der Richter betritt den Gerichtssaal.*
*3. Alle Anwesenden stehen auf.*
*4. Der Richter bittet, Platz zu nehmen.*
*5. Der Richter eröffnet die Verhandlung.*
*6. Der Richter liest die Anklage vor.*
*7. Der Richter befragt zuerst Maik, dann Tschick.*
*8. Es spricht der Mann vom Jugendheim.*
*9. Es spricht der Mann von der Jugend-Gerichtshilfe.*
*10. Der Richter nimmt sich in einer Pause Zeit,*
*um über das Urteil zu entscheiden.*
*11. Der Richter verkündet das Urteil.*

So geht ihr weiter vor:

- Diese Personen braucht ihr:
Maik Klingenberg, Tschick, der Richter,
die Eltern von Maik, der Mann vom Jugendheim,
der Mann von der Jugend-Gerichtshilfe, Zuschauer.
  - Schreibt die Personen jeweils auf ein Extrablatt.
  - Entscheidet, wer welche Rolle spielt.

- Was sagen die Personen?
  Schreibt zu jeder Person auf das Extrablatt,
  was sie sagt.
  Tipp 1: Lest noch einmal die Seiten 81 und 82.
  Tipp 2: Die Vorschläge im Kasten
  für die Rolle des Richters helfen euch.

> der Richter: „Bitte nehmen Sie Platz.
> Ich eröffne die Verhandlung." /
> „Maik Klingenberg und Andrej Tschichatschow
> sind wegen Autodiebstahl und Fahren ohne
> Führerschein angeklagt." /
> „Hiermit verkünde ich das Urteil ..."

- Spielt die Szene:
  - Überlegt, wo die Tische und Stühle stehen.
  - Übt einzelne Teile der Szene.
  - Führt die Szene im Gericht als Ganzes auf.

- Sprecht anschließend über die Szene:
  - Was ist euch gut gelungen?
  - Was könnt ihr noch besser machen?

4. **Zwei Polizisten befragen Maik,**
   **weil ein Lada gestohlen und mit Totalschaden**
   **wiedergefunden wurde.**

a) **Was wird Maik da klar?**
   **Unterstreiche blau auf Seite 83.**

b) **Wovon kann er die Polizisten überzeugen?**
   **Unterstreiche rot auf Seite 83.**

# Kapitel 12

1 Irgendwann musste ich ins Sekretariat und einen Brief
2 abholen. Vorn drauf war eine kleine Zeichnung
3 von einem Auto, in dem ein paar Strichmännchen saßen.
4 Rund um das Auto waren Strahlen, als sei
5 das Auto die Sonne. Darunter stand:

6 *Maik Klingenberg, Schüler am Hagecius-Gymnasium,*
7 *Neunte Klasse ungefähr, Berlin.*

8 Ich war aufgeregt, der Brief war von Isa. War ich
9 jetzt eigentlich mehr in Tatjana oder in Isa verliebt?
10 Im Ernst, ich wusste es nicht.
11 Ich las den Brief erst, als ich zu Hause war.

12 *Hallo, du Schwachkopf!*
13 *Habt ihr's noch in die Walachei geschafft?*
14 *Ich wette nicht. Ich hab meine Halbschwester*
15 *besucht und kann dir jetzt das Geld wiedergeben.*
16 *Unterwegs habe ich einen Lastwagenfahrer*
17 *verprügelt. Ich fand es gut mit euch. Ich fand es*
18 *schade, dass wir uns nicht geküsst haben.*
19 *Ich fand am besten die Brombeeren.*
20 *Nächste Woche komme ich nach Berlin.*
21 *Sonntag um 17 Uhr unter der Weltzeituhr,*
22 *wenn du nicht noch fünfzig Jahre warten willst.*
23 *Kuss, Isa.*

24 Von unten im Garten waren Geräusche zu hören.
25 Es gab einen Schrei, und es krachte und rumpelte.
26 Ich sah aus dem Fenster. In unserem Pool schwamm
27 ein Sessel. Ich ging hinunter.
28 Meine Mutter stand in der Terrassentür,
29 in der einen Hand ein Glas, in der anderen
30 einen Blumentopf.
31 „Was machst du denn da?", fragte ich.
32 „Wonach sieht's denn aus?", fragte sie.
33 „Ich hänge nicht an dem Scheiß." Sie umarmte mich.
34 Dann warf sie das Glas und den Blumentopf
35 ins Wasser. Sie hielt ein Sitzkissen hoch und warf es
36 über die Schulter in den Pool.

37 Sie fragte: „Hab ich mit dir eigentlich schon
38 über grundsätzliche Fragen gesprochen?
39 Ich meine wirklich grundsätzliche Fragen?"
40 Ich zuckte die Schultern.
41 Sie zeigte rund um sich herum.
42 „Das ist alles egal. Was nicht egal ist:
43 Bist du glücklich in deinem Leben? Merk dir nur das."
44 Sie schwieg für einen Moment.
45 „Bist du eigentlich verliebt?", fragte sie.
46 Ich dachte nach.
47 „Also ja", sagte meine Mutter. „Dann vergiss
48 den anderen Scheiß."
49 Sie warf eine Lampe ins Wasser.
50 „Ach, ist das herrlich!", rief sie und weinte.
51 „Hilf mir mal", bat sie mich.
52 Ich schleppte für sie ein paar Sachen zum Beckenrand.
53 Meine Mutter holte gerade ein Ölgemälde,
54 als der erste Polizist um die Ecke kam.
55 Sie hielt sich das große Bild über den Kopf und
56 segelte damit wie ein Drachenflieger in den Pool.
57 Sie sah toll aus. Sie sah aus wie jemand,
58 der nichts lieber tat, als mit einem Ölbild
59 in den Pool zu segeln.
60 Ich ließ mich mit dem Sessel vornüber
61 in den Pool fallen. Das Wasser war lauwarm.
62 Unter Wasser spürte ich, wie meine Mutter
63 nach meiner Hand griff.
64 Zusammen mit dem Sessel sanken wir zum Grund.
65 Wir sahen von da zur schillernden, blinkenden
66 Wasseroberfläche.
67 Ich dachte, dass sie mich jetzt wahrscheinlich wieder

68 einen Psycho nennen würden und dass es mir egal war.

69 Ich dachte daran, dass es jetzt nicht mehr lange

70 dauern würde, bis ich Tschick in seinem Heim

71 besuchen konnte. Und ich dachte an Isas Brief.

72 Ich dachte, dass ich das alles ohne Tschick

73 nie erlebt hätte und dass es ein toller Sommer

74 gewesen war, der beste Sommer von allen.

75 An all das dachte ich, während wir unter Wasser

76 die Luft anhielten und durch das silberne Schillern

77 und die Blasen hindurch nach oben guckten.

78 Dort beugten sich zwei Uniformierte ratlos über

79 die Wasseroberfläche. Sie sprachen in

80 einer stummen, fernen Sprache miteinander.

81 Das war eine andere Welt – und ich freute mich

82 wahnsinnig.

83 Denn man kann zwar nicht ewig die Luft anhalten.

84 Aber doch ziemlich lange.

Ende

1. **Maik bekommt einen Brief von Isa.**
   **Was fehlt bei der Adresse? Kreuze an.**

   ❑ der vollständige Name
   ❑ die Straße und die Hausnummer
   ❑ die Postleitzahl
   ❑ der Ort

2. **Maik möchte Isa antworten.**
   **Schreibe den Brief zu Ende.**
   **Berate dich mit einem Partner.**

   Liebe Jsa,

   ich habe mich riesig über deinen Brief

   _____.

   Jch habe oft an dich _____.

   Tschick und ich haben es nicht

   bis in die _____ geschafft.

   Wir hatten einen schweren _____.

   Jch war sogar im _____,

   aber jetzt geht es mir wieder _____.

   Jch will dich unbedingt _____.

   Jch warte bei der Weltzeituhr auf _____.

   Dein Maik

3. Maiks Mutter wirft Möbel in den Pool.
   Sie zeigt rund um sich herum und sagt:
   „Das ist alles egal. Was nicht egal ist:
   Bist du glücklich in deinem Leben?"
   **Welche Redewendung passt zu dieser Aussage?**

a) **Lies die Redewendungen.**
   **Berate dich mit einem Partner.**

b) **Zeichne um die passende Redewendung**
   **einen Rahmen.**

Geld regiert die Welt.

Geld allein macht nicht glücklich.

4. **Maik findet, dass er einen tollen Sommer hatte.**
   **Durch die Erlebnisse in den Sommerferien**
   **hat sich einiges verändert:**

   – Maik fühlt sich nicht mehr so einsam.
   – Es gibt etwas, auf das er sich freut.
   – Maik hat nicht mehr so viele Zweifel und
     ist selbstbewusster.

   **Was hat sich noch verändert?**
   **Sprecht in der Klasse darüber.**

**5.** Was hat dir an dem Jugendroman „Tschick" gut
und was nicht so gut gefallen?
Schreibe in eigenen Worten auf die Linien.

gut gefallen hat mir: _____

_____

_____

_____

nicht so gut gefallen hat mir: _____

_____

_____

_____

**6.** Der Jugendroman „Tschick" wurde auch
als Theaterstück aufgeführt und verfilmt.
Stell dir vor, du kannst in dem Theaterstück oder
in dem Film mitspielen.
Welche Rolle würdest du gern spielen?
Beantworte die Frage und begründe deine Wahl.

> Maik / Tschick / Tatjana / Isa

Ich würde gern die Rolle von _____ spielen.

Begründung: _____

_____

_____

**7.** Wer hat den Jugendroman „Tschick" geschrieben?

**a)** Lies den folgenden Sachtext über den Autor.

> **Über den Autor**
>
> 1 **Wolfgang Herrndorf** wurde **1965** in Hamburg
> 2 **geboren.** Er **starb 2013** in Berlin.
> 3 Wolfgang Herrndorf war ein **deutscher Schriftsteller,**
> 4 Maler und Illustrator für Zeitschriften.
> 5 Sein **Jugendroman „Tschick",** der im Jahr **2010**
> 6 herauskam, gewann im Jahr darauf
> 7 den **Deutschen Jugendliteraturpreis.**
> 8 Der Roman wurde **weltweit ein großer Erfolg.**
>
> 9 Wolfgang Herrndorf war im Jahr **2010** bereits
> 10 **todkrank.** Bei ihm war ein bösartiger und
> 11 nicht heilbarer **Gehirntumor** entdeckt worden.
> 12 Am 26. August 2013 nahm sich der Autor das Leben.

**b)** Was hast du im Sachtext über den Autor erfahren?
Beantworte die Fragen mit Stichworten.

– Welche Berufe hatte Wolfgang Herrndorf?

_____

_____

– Welchen Preis gewann er mit „Tschick" 2011?

_____

– Wo lebte Wolfgang Herrndorf zuletzt?

_____

Diese Ausgabe ist eine Bearbeitung von „Tschick" von Wolfgang Herrndorf.
Lizenzausgabe mit freundlicher Genehmigung der Rowohlt. Berlin Verlag GmbH, Berlin
Deutsche Originalausgabe © 2010 by Rowohlt. Berlin Verlag GmbH, Berlin

Redaktion: lüra – Klemt & Mues GbR
Layout und technische Umsetzung: lernsatz.de

**www.cornelsen.de**

1. Auflage, 5. Druck 2023

Alle Drucke dieser Auflage sind inhaltlich unverändert
und können im Unterricht nebeneinander verwendet werden.

© 2017 Cornelsen Verlag GmbH, Berlin

Das Werk und seine Teile sind urheberrechtlich geschützt.
Jede Nutzung in anderen als den gesetzlich zugelassenen Fällen
bedarf der vorherigen schriftlichen Einwilligung des Verlages.
Hinweis zu §§ 60 a, 60 b UrhG: Weder das Werk noch seine Teile dürfen ohne
eine solche Einwilligung an Schulen oder in Unterrichts- und Lehrmedien
(§ 60 b Abs. 3 UrhG) vervielfältigt, insbesondere kopiert oder eingescannt,
verbreitet oder in ein Netzwerk eingestellt oder sonst öffentlich zugänglich
gemacht oder wiedergegeben werden.
Dies gilt auch für Intranets von Schulen.

Druck: H. Heenemann, Berlin

ISBN: 978-3-06-200275-5

PEFC zertifiziert
Dieses Produkt stammt aus nachhaltig
bewirtschafteten Wäldern und kontrollierten
Quellen.

**www.pefc.de**

PEFC/04-31-1156